改變人類命運的

科學家們

從林奈到門得列夫，揭開看不見的物質真相

과학자들 3

之三

　　現今社會中，若說凡事都可以用科學來說明，也不過分，一切都可以用「科學」或「不科學」判斷或解釋。我們人類，別說是遙遠的銀河系另一邊的宇宙了，就連同屬於太陽系較近的其他行星都無法看見，但科學家們深信所計算出來的星星運行定律，以及哈伯太空望遠鏡所傳送回來的資料照片。不論有任何爭論，只要能提出較多科學實證證據的一方，理所當然地就會是贏家。

　　今日的科學，與支配中世紀西方世界的羅格斯（Logos）啟示相比較，科學的權威也毫不遜色。科學的理性貫穿了整個19世紀到20世紀，在深深影響世界觀並滲透人類靈魂的同時，尚有胡塞爾（Edmund Husserl）等哲學家們，警告實證主義的穿鑿附會思維是危險的。只是時代已經走到這一步了，大眾已經捨棄觀念哲學、批判哲學，轉而選擇更聰明的科學。然而在過去，哲學家們以部分思維所研究的自然哲學，卻佔據了學問的龍頭地位。

　　在現代社會，連宗教都會被批評為不科學，顯見這個時代的科學已經比宗教更具有優先地位。然而在過去，也曾經有過宗教大於科學的時代。是人們只相信神的話語、信任神在人間的代理人的教誨，科學被視為非宗教、非合理，受到批評與責難的時代。其實那個時代並不遙遠，在那個時空中，許多思想家既是哲學家、又是科學家也是鬥士。這套《改變人類命運的科學家們》介紹了從古代自然哲學家，到20世紀的科學家們的奇聞趣事。為了告知世人自己理解這個世界原理與現象的方式，他們經歷了無數的奮戰歲月，最後成為了學問的主角，而這些終將成為他們的編年史也說不定。

對於熟悉人文多過於科學的人們來說，科學性的內容確實不易親近，然而，這些看似與我們毫無關係的科學，若能從歷史或人物角度開始接觸，或許就能當成故事一般慢慢理解，進而產生自信。於是，這本書誕生了。

《改變人類命運的科學家們》系列書籍，收錄了科學史50個經典場面，以及讓這些場面得以成真的52位科學家的故事。來到第三冊，有確立氣體體積與壓力關係的波以耳、開啟化學革命時代的拉瓦節、提出原子論的道爾吞、為物種分類的林奈，與在物種不變論的信念下，提出演化論主張的達爾文等等，我們將與探索生命、研究更細微世界的22位科學家相遇。

從想像那些看不見的存在，直到具體化、提出證明為止，這些科學家們需要承受多少壓力，這不僅是那些物質的故事而已。而演化論的提出，對於達爾文之前，那些深信物種不變論的人們來說，不也是種摧毀信仰、難以置信的主張。支撐著這些開創未知領域的科學家們的，不正是對於研究的熱情與透澈的實驗精神？《改變人類命運的科學家們【之三】：從林奈到門得列夫，揭開看不見的物質真相》一書，就是那些企圖觸及真理的科學家們努力的故事。

2018年9月

金載勳

「在自然科學中，真理的原則，就是以觀察確證結果。」

——林奈

肉眼可以看見的物質，非常好說明，

不但可以數得出來、也可以掌握其位置。

但是，看不見的物質又該怎麼辦呢？

為了假定這些看不見的粒子的模型與性質，

以證實各種反應及定律，

科學家們孤軍奮戰地持續進行著實驗。

目錄

01

親自解剖人體

維薩留斯

安德雷亞斯‧維薩留斯 Andreas Vesalius（1514～1564）

比利時醫學家，批判長久以來被視為經典的蓋倫解剖學的錯誤，確立近代解剖學。維薩留斯透過直接解剖人體，說明人體構造。

1543年，科學史上出版了兩本深具意義的書籍。

一本是打破長久以來的「地心說」權威，打開近代宇宙觀新頁的哥白尼《天體運行論》；另一本則是揭開人體內部構造秘密，建立解剖學里程碑，讓解剖學得以繼續前進的維薩留斯《人體的構造》。

從文藝復興時代延續到近代的16世紀中葉，曾經是新式自然科學搖籃的義大利帕多瓦大學，新到任的醫科大學教授，正式開始了第一堂解剖課。教授一開始上課，學生們陷入心驚膽跳的情況。

教授該不會是自己拿起刀，直接往屍體的肚子切吧？

解剖課時間，教授直接拿刀這件事情，為何會引起如此大的騷動？那是因為當時的醫學大學，人體解剖是理髮師兼外科醫生的工作。

當時，這不是教授該做的事情。

什麼？

解剖。

那誰做？

今天有誰要到帕多瓦大學的解剖實習打工啊？

薪水怎麼算？

要看做多少決定。

外科醫生不是醫生嗎？

當時人們相當藐視用刀切開人們身體的外科醫生。

因為害怕而不做嗎？

學問高深的教授就高高在上地坐在講台上說明，在人體解剖的過程中，完全不會靠近解剖現場。

對於學生來說，與其說是看解剖實習，倒不如說，他們更信賴這在一角的教授的說明，以及用拉丁文寫成的教科書，而負責解剖的外科醫生，多數不懂拉丁文。

你繼續做你該做的事情。

我雖然有卓越的切腹與縫合技術，但因為不識字，所以理所當然會被歧視，這沒什麼。

然而，這位教授卻不依循既有作法，而是直接拿起刀子進行人體解剖課程，並且向學生強調，比起讀課本，這是更重要的重點。

醫生大人，出來一下吧，我可以做～

你直接做的話，那我呢？

在角落背拉丁文單字也好

那有錢拿嗎？

一開始大家都很驚慌失措，不過漸漸的，學生們都愛上這樣的教學方式。很快地其他大學的解剖課也開始出現改變。

現在親自解剖才是趨勢。

實際嘗試之後，發現這樣做很值得！

以實驗與歸納的態度，將解剖學帶入新式醫學的歷史，翻開新頁的人物，就是近代解剖學之父——維薩留斯。

出生於布魯賽爾，在藥劑師父親的影響下，對醫學深感興趣，於魯汶大學與巴黎大學學習醫學，在帕多瓦大學取得博士學位。

維薩留斯認為，歐洲的醫學，歷經羅馬時代、中世紀到現在，別說是發展，甚至可以說是退步的狀況。

不論是從知性還是熱情，古希臘的醫生都表現得更好……

探究其原因，研判可能是這些醫學學者過於嚴肅的態度，並且普遍輕視外科手術的風潮，以及毫無實證研究，僅會依賴老舊文獻權威的慣例。

你有看過肝在哪裡？長什麼樣子嗎？

在哪裡看到的？

當然有。

在書裡看到的。

為了解決這個問題，他決心要以身作則。

我要用我的手，直接切開，用我的眼睛，直接看清楚！

靠近一點直接看了覺得如何？是不是更有真實感？

我都要吐了。

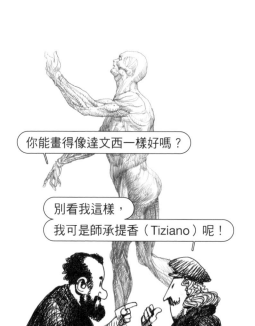

你能畫得像達文西一樣好嗎？

別看我這樣，我可是師承提香（Tiziano）呢！

維薩留斯認為，應當建立一個能正確掌握人類身體，並共享這些資訊與知識的系統。有了正確的人體解剖，才能確立所有醫學的基礎。所以必須要有更正確、更精準的解剖學教科書。於是在他進行人體解剖的時候，一定會雇用一位插畫技巧高明的畫家在身旁。

維薩留斯的解剖課變得越來越有名。在帕多瓦地區的法官，甚至還提供執行死刑的屍體，給維薩留斯的實習課程使用。就在他持續以這種熱情解剖屍體之際，他卻發現一個很嚴重的問題。

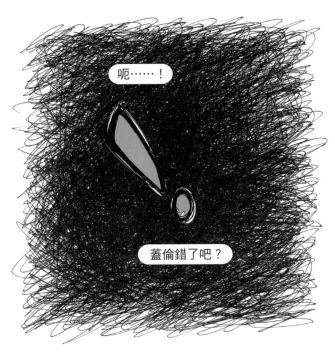

這是在持續人體探險之下，必定需要翻越的一座山，然而在維薩留斯之前，沒有任何人挑戰過那座山的權威。

蓋倫（Claudius Galenus）是古羅馬時代的醫學家，一直到文藝復興時期為止的1,500年間，是制霸歐洲醫學領域的盟主，擁有極大的影響力。

說到醫學，不是應該是希波克拉底（Hippocrates）嗎？

那是象徵性的代表。

實際上是蓋倫沒錯。

說到中世紀醫學，就是他了。

隊醫！快過來！

我來了！你說話客氣一點！

蓋倫在希臘化時代的最高知識殿堂亞歷山大博學園（Alexandria Mouseion）研讀醫學，開發出骨折、外傷治療、縫合、血管接合術、腫瘤切除、膀胱結石手術等眾多治療方法。此外，他也擔任了競技場鬥士的主治醫生約 5 年的時間。

之後，他成為有羅馬五賢帝之稱、斯多葛哲學支柱的皇帝奧理略（Marcus Aurelius）的主治醫生。

他建立了將人體功能分為消化、呼吸、神經活動三大部分的體系，蓋倫的醫學知識對於後世醫生來說是不可撼動的經典地位。

在醫學研究論文或相關書籍中，最常出現的文字，就是「根據蓋倫」「蓋倫是這樣說的」這類的引述文句。

蓋倫指出⋯⋯

蓋倫老師是這樣說的⋯⋯

他也解剖了不少動物，留下眾多醫學理論的著作。

我也寫了腦部與脊椎是由中樞神經形成，我應該是第一個發表的吧？

應該也抓了不少動物吧。

競技場中不也把活生生的人丟給獅子吃嗎？

解剖很可怕不是嗎？不是身為人可以做的事情。

可是在羅馬，法律明定禁止人體解剖，所以不能解剖真正的人的身體。

而這正是維薩留斯不解的地方，加上他實際解剖了人體、觀察後發現，蓋倫的理論有超過200個以上的錯誤。

你自己看看！是蓋倫錯！還是我錯！

我不要！

為什麼？

擔心要是蓋倫真的錯了怎麼辦？

就在責難與批評中，維薩留斯寫出這本全新的解剖學書籍。他日夜埋頭苦幹，花了兩年時間，請人仔細繪製的插畫也都收錄進書中。

花了兩年的時間日夜埋首於解剖。

最後，終於在1543年，於瑞士的巴塞爾出版了這本《人體的構造》。

ANDREAE VESALII
BRVXELLENSIS, SCHOLAE
medicorum Patauinæ profeffozis, de
Humani corporis fabrica
Librí feptem.

把人的身體構造都仔細探索一遍了！

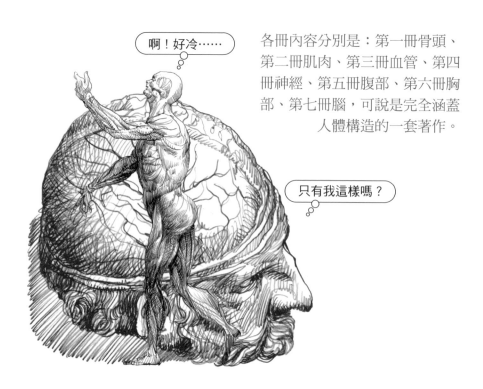

各冊內容分別是：第一冊骨頭、第二冊肌肉、第三冊血管、第四冊神經、第五冊腹部、第六冊胸部、第七冊腦，可說是完全涵蓋人體構造的一套著作。

維薩留斯雖然不是進行人體解剖的第一位醫生，但是他仔細探究人體各個部分，可說是在醫學領域中，實踐文藝復興時代精神的研究先驅。

02

血液循環

哈維

威廉・哈維　William Harvey（1578～1657）

英國醫學家、生理學家，透過不斷地研究與實驗，否定蓋倫的體液說，發表靜脈血是流進心臟、動脈血是流出心臟的血液循環原理。

在維薩留斯之後，西方醫學在解剖領域出現長足的進步，但診斷疾病與治療的醫生，依然依循著蓋倫的醫學體系。

在16世紀末到17世紀為止，義大利的帕多瓦大學，成為孕育出許多偉大天才醫學家的實習場地。而當中成果最豐碩的，就是英國醫生哈維。他不認同長久以來蓋倫所定義的血液生成與消耗規則，完成了血液循環理論，為近代生理學的發展做出巨大貢獻。

我們的體內有血液在流動。

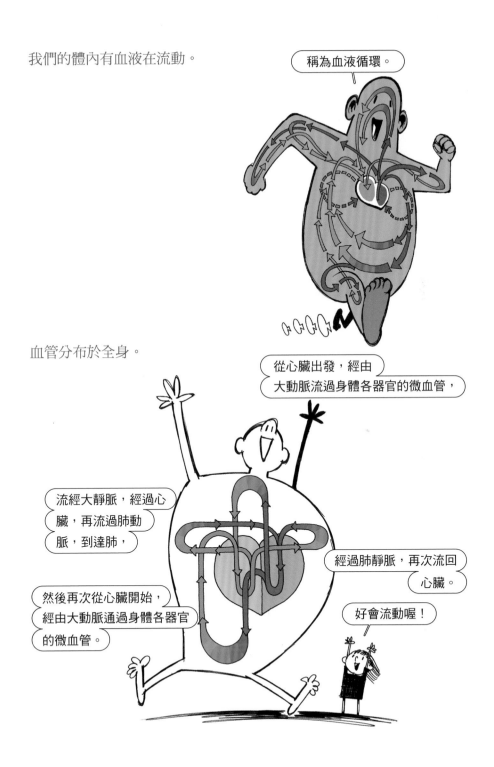

稱為血液循環。

血管分布於全身。

從心臟出發，經由
大動脈流過身體各器官的微血管，

流經大靜脈，經過心
臟，再流過肺動
脈，到達肺，

經過肺靜脈，再次流回
心臟。

然後再次從心臟開始，
經由大動脈通過身體各器官
的微血管。

好會流動喔！

由心臟負責讓血液不中斷地流動。

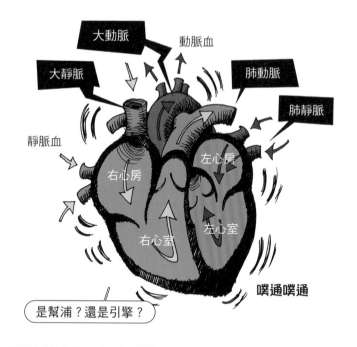

負責讓血液中的二氧化碳排出，並供應新鮮氧氣的器官是肺。

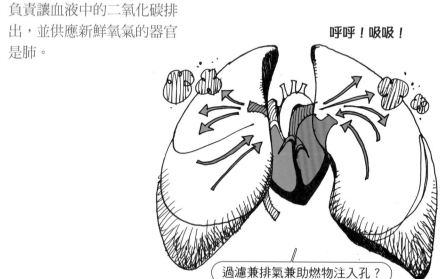

所以通過心臟的血液，會經過動脈、走過許多器官，再經由靜脈，回到心臟，這個過程稱為大循環或是體循環。

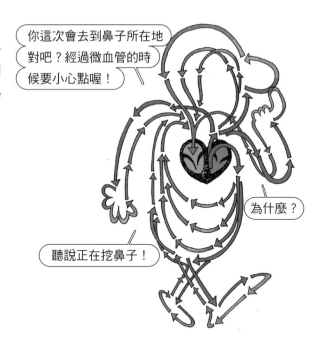

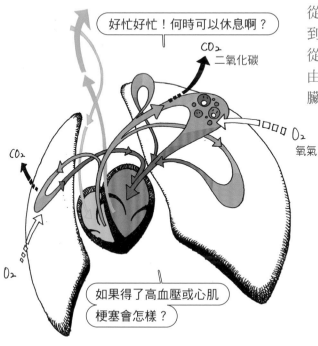

從心臟順著肺動脈，到達肺的靜脈血，會從肺成為動脈血，經由肺靜脈再次流回心臟，這個過程稱為小循環或是肺循環。

關於血液循環的知識，已經是一般人都知道的醫學常識了對吧？不過在過去，是件連醫生都不知道的事情。

> 你不覺得你的血在流動嗎？

> 你想流血嗎？

才不過是 400 年前，醫學界所認定的定論，與血液循環是完全不同的。

> 醫生大人啊！我怎麼想都覺得我的血液在流動！

> 那是你的幻想啊！

17世紀的醫生們，依然遵循蓋倫的理論。

> 都不會膩嗎？蓋倫都已經過了1,500多年了耶！

> 這可是醫生們這1,500年來的生存秘訣。

蓋倫說，血液是由肝所製造的。充滿著自然能量的血液，會沿著靜脈，流往全身各個器官，最後在末端消耗殆盡。

蓋倫是這樣說的。

飯吃下肚後，在胃中轉換成乳糜，乳糜通過肝門靜脈到肝，變成血液。

所以意思是要好好吃飯才對囉！

血液持續地被製造、被使用，直到被消耗為止。

所以說餓死跟血液不足而死是一樣的囉？

那高血壓的人要先禁食才行耶。

在這個過程中，被傳送至心臟右心室的部分血液，會透過小孔移動到左心室，在左心室成為充滿生命精氣的動脈血，給各器官帶來所需的活力與養分。

可是從右心室到左心室沒有洞啊？

但是蓋倫認為有。

雖然維薩留斯以新的解剖學，指出了蓋倫對於人體知識的錯誤，但是，多數醫生依然毫不在意地依循著蓋倫所教導的醫術苟延殘喘。

醫生啊！我頭痛有點嚴重。

那我們來抽點血看看。

我好像貧血了？

要多吃點飯，才能造血、才會長肉！

於此同時，義大利的帕多瓦大學有一群熱情的教授，藉由很多的實驗與解剖，瓦解了蓋倫的傳統論點。

我們不僅解剖人體，也解剖了許多活生生的動物。

會不會因為虐待動物而被罵？

蓋倫說從右心室流到左心室的靜脈血，與透過肺靜脈輸送的空氣混合後成為動脈血。但事實上，右心室流出來的靜脈血，是在肺變成動脈血之後，才流向左心房。

接替維薩留斯成為帕多瓦大學外科教授的可倫波（Realdo Colombo），也與蓋倫的主張有所不同，他認為血液並非從右心室流到左心室，而是經由肺。

Realdo Colombo

你有違逆蓋倫的自信嗎？

說真的，還是有點害怕。

在那之後，又有人對血液的流動提出了新發現，這是由同為帕多瓦大學外科教授的法布里休斯（Hieronymus Fabricius）提出，他發現靜脈中有瓣膜。

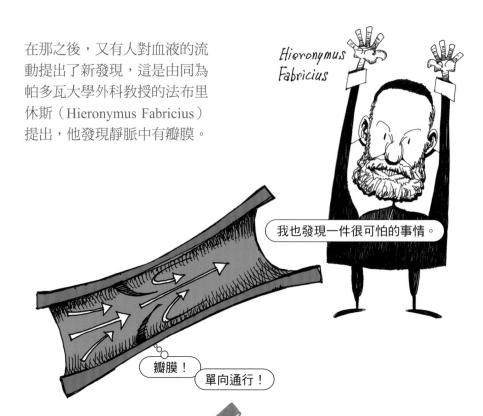

我也發現一件很可怕的事情。

瓣膜！
單向通行！

只要再多努力一點，你就能以完成血液循環之名義，在歷史上留名了！你有這個信心嗎？

沒有。

然而，或許是蓋倫的理論太難完全否定，他無法確定自己所發現的瓣膜具有防止血液逆流的功能，僅認為瓣膜能調節血流量與速度。

時值1602年，懷抱著遠大夢想從英國來的留學生哈維，加入了法布里休斯的解剖研究小組。哈維很積極地參與魚、青蛙、蛇、狗等動物活體解剖。

以可倫波與法布里休斯發現的事實為基礎，哈維大膽地確信了血液循環。

為了推翻蓋倫體系，哈維必須透過各種實驗來實證。其中也包含了將自己的手臂綁起，觀察血管變化的實驗。

將繩子綁緊勒住動脈，以及將繩子稍微鬆開，阻擋靜脈，

讓我們看看會怎樣。

不管怎樣，我的手都麻了。

當靜脈被收緊時，可看到距離心臟較遠的血管膨脹產生充血現象，而當動脈被收緊時，則呈現相反狀況，也就是血液在距離心臟較近處匯集膨脹。確認了靜脈血液是流回心臟，而動脈血液是從心臟流出。

蓋倫所說，靜脈血液是從肝臟出來流往全身的說法是錯的！

動脈

靜脈

辛苦了！

並且，哈維也使用了自己獨創的方式，證明蓋倫所提出的理論，也就是血液是由肝臟生成並且會消耗殆盡的說法是錯的。

血液持續被製造出來，然後消失？

那麼血液量會有多大，要來計算看看才行？

抽血來量量看？

透過解剖，我們知道一個人的心臟若充滿血液，大約是75ml左右。

脈搏每一次的跳動，會有2oz（56.6g）左右的血液排出。

而脈搏一分鐘跳動72次、一小時會有8,640oz（245kg），不就計算出來了嗎？

人們如果要吃到這樣的量，根本不用休息吧？

會死吧？

所以結論是血液是循環的。

脈搏每一次跳動，都會釋出一定的血液量，乘上人的平均脈搏數，就能計算出每小時大約需要245kg的血。若是根據蓋倫的理論，血液是持續被製造，就必須吃足那個分量的食物，但這是不可能做到的事情。

哈維於1628年很有自信地發表收錄血液
循環理論的《關於動物心臟與血液運動
的解剖研究》一書，不過發表當時，整
個醫學界是反駁聲浪不斷，醫生們則是
批判與無視他的新理論。

> 這本書寫得不錯，會讓您耳目
> 一新，您要讀看看嗎？

> 如果沒有讓我
> 耳目一新的話要怎麼辦呢？

> 在學校解剖的傢伙，懂什麼臨床？

> 心臟如果是幫浦的話，以後不就要
> 弄什麼人工心臟了？

> 傳御醫！

> 您哪裡不舒服呢？

> 都是議會派那些傢伙讓我頭痛！

哈維回到英國，繼續擔任國王
詹姆士一世與查理一世的主治
醫生。

而他提出的血液循環模型，還是有未完成的部分，那就是從心臟流出，轉往身體各器官的動脈血液，在末端如何成為靜脈血液回到心臟的這個問題。

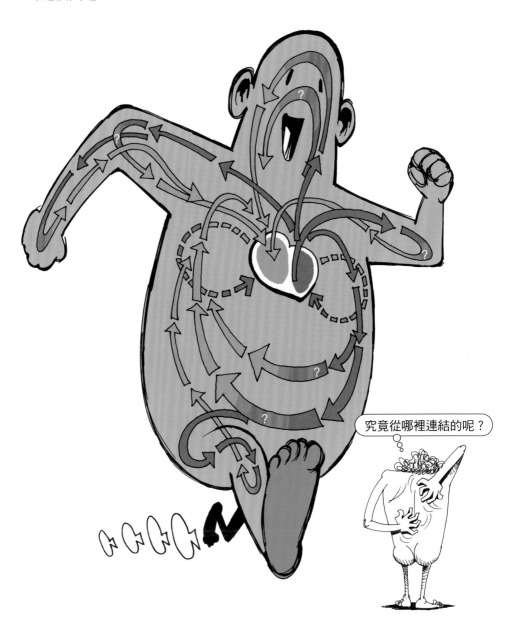

究竟從哪裡連結的呢？

要解決這個問題，就必須找到肉眼看不見的微血管的存在，而這件事情，日後是馬爾皮吉（Marcello Malpighi）透過顯微鏡觀察證明。

究竟是如何連結的呢？

交給我吧！

哈維不安於傳統與固有觀念的現狀，透過比較解剖，收集實證案例，同時藉由近代科學實驗的方式，證明自己的理論。從這一點看來，哈維是整理出血液循環的偉大醫生，為自己留名於醫學史中。

03

氣體在真空中跳躍
波以耳

勞勃‧波以耳 Robert Boyle (1627～1691)

愛爾蘭化學家、物理學家、自然哲學家。他與倫敦當時具有
影響力的知識份子交流，透過多樣實驗奠定近代化學的基
礎。發表空氣的體積與壓力成反比的波以耳定律。

因明確定義出氣體的體積與壓力關係而聞名的波以耳，一生致力於研究自然現象，留下40多本偉大巨作。

他之所以能夠心無旁騖，專心關注在實驗與研究，是由於從父親那繼承了龐大的遺產。

當我們按壓氣球或游泳圈這類充了氣的物品時，會先感到收縮然後再次膨脹，這是由於空氣粒子在空隙中運動之故。

我們日常所使用的「氣壓」一詞，是指包圍著地球的空氣——大氣的單位面積所施加的力量。這個力量會因空氣的重量而不同。大氣越重、氣壓越高。

如果妳跟我之間什麼都沒有的話，會變成怎樣呢？

就兩個人一同相親相愛地窒息而死囉。

然而，若要用這個方式理解空氣現象的話，需要有一個前提，那就是什麼都沒有的全空空間，也就是真空狀態。

長久以來，西方自然哲學的主流意見是否認真空，這也是當時一般人的普遍常識。

以前好像有個誰說過，自然不喜歡真空。

為什麼？

如果有真空，就會想東想西地想很多。

如同前述的天文、力學領域，當既有理論與新知識相互衝突時一樣，17世紀的自然哲學家們，圍繞著真空爭論不休。

沒有真空。

有真空。

如果沒有的話，怎麼辦？

沒有的話，就沒有啊！

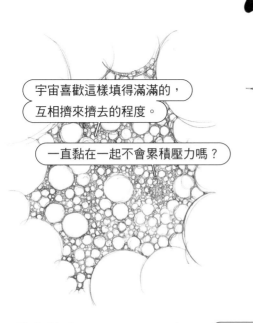

宇宙喜歡這樣填得滿滿的，互相擠來擠去的程度。

一直黏在一起不會累積壓力嗎？

有一方認為，宇宙沒有空隙，是填滿著各種物質的狀態，而另一方則認為，粒子在虛無的空間中漂浮著。

笛卡兒（René Descartes）在設計近代科學體系時，抱持著否認真空的立場，認同他這種想法的人相信，宇宙的所有運行，是以物質相互接觸的狀態進行。

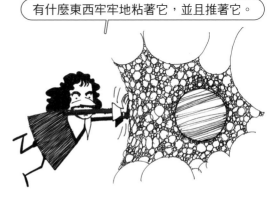

行星得以依循著軌道繞行，一定必須有什麼東西牢牢地粘著它，並且推著它。

不過，另有一群自然哲學家，依據古代的原子論，接受真空的說法。

就算距離遙遠，也會產生互相拉推的力量。

一開始沒有任何一方拿得出確切的證據，僅能以假說跟論證相抗衡，然而比較積極查明空氣真相的，正是擁護真空論的一方。他們為了證明自己的主張，進行了製造真空狀態的實驗。

反正也沒有證據，誰聲音大誰就贏了。

真是一群人無法溝通的人。

面對無法溝通的人，只好用證據來證明！

能相信的，只有實驗了！

曾是伽利略（Galileo Galilei）研究室弟子的維維亞尼（Vincenzo Viviani），以及托里切利（Evangelista Torricelli），繼續進行著老師生前所關注的真空實驗。他們使用了1m長的玻璃管、寬口大碗以及水銀做實驗。

老師不是說過，測量填滿空氣的器具及全空器具的重量，顯示空氣也是有重量的嗎。

當然！

在還沒有汞中毒之前，就算把身體搞壞，就讓我們努力做實驗吧。

Vincenzo Viviani

Evangelista Torricelli

先將管口封住，然後整個倒過來放入碗中，在這樣的狀態下打開封口看看吧！

結果產生了76cm高的水銀柱，這是大氣壓力壓住碗中水銀的事實，他們並主張，玻璃管中剩餘的那個空間，就是沒有空氣的真空狀態。

真空

這裡面真的淨空？

76cm

水銀中不會有空氣了對吧？

大氣壓

這是最初以人工方式製作出真空實驗的紀錄，人們稱之為「托里切利真空」。

另一方面，托里切利組的實驗成功消息，也鼓舞了在法國的帕斯卡（Blaise Pascal）。帕斯卡想用實驗證明，高處與低處的空氣重量不同、氣壓差異也不同。

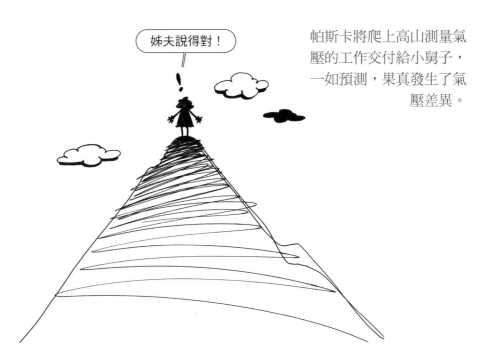

姊夫說得對！

帕斯卡將爬上高山測量氣壓的工作交付給小舅子，一如預測，果真發生了氣壓差異。

而最具戲劇化的真空與氣壓實驗，發生在1654年的普魯士。德國馬德堡的市長格里克（Otto von Guericke）採用了異想天開的方式進行了這項實驗。

舉辦真空實驗活動的市長，全世界應該只有我一個吧？

Otto von Guericke

格里克用銅造了兩個半球，
將兩個半球黏貼密合之後，
再以特殊製造的幫浦將裡面
的空氣抽了出來。

空氣都抽出來了嗎？

空氣又看不見，
要怎麼知道都抽完了，還是還有殘留？

看你氣力用盡的樣子就知道。

在這種人多的地方，是要
我們做什麼事情啊？

要我們丟臉囉～

接下來，為了測量銅球外的大
氣壓力有多大，讓馬匹從兩側
用力地向外拉，但緊黏的球體
依然不為所動。

雖然還不到完美的真空狀態，
但直到兩側各動員到8匹馬，
才將這個球體扳開。格里克將
自己成功的實驗內容，發表在
1657年出版的書中。

這到底是什麼力量啊？

這就是大氣壓力。

真是不能小看空氣啊，不是嗎？

在此同時，倫敦有一位出生於
貴族家族的男子，持續默默地
關注著這整個局面，他的名字
是波以耳（Robert Boyle）。

我才是主角吧？

這是誰？

聽說是波以耳。

看起來就很貴氣。

波以耳出生於愛爾蘭，是極為富裕的
科克伯爵之子。他從年少時期開始周
遊歐洲，見多識廣的他，決心要成為
跟伽利略一樣偉大的自然哲學家。

我決定了！

決定什麼？

決定不賺錢了！

所以他用父親留給他的遺產，在倫敦建了自己專屬的實驗室，並在那
裡與各界知識份子進行交流、共同研究。以複合顯微鏡觀察細胞而知
名的虎克（Robert Hooke），也以助手身分在這實驗室工作。

波以耳知道，若要比其他人做出更卓越的研究成果，就必須擁有性能更佳的實驗器具。幸好他的身旁有才能出眾的虎克。

波以耳要求虎克，製作出可以確實地將密閉容器中的空氣抽乾的幫浦，虎克不負眾望發揮了他的實力。

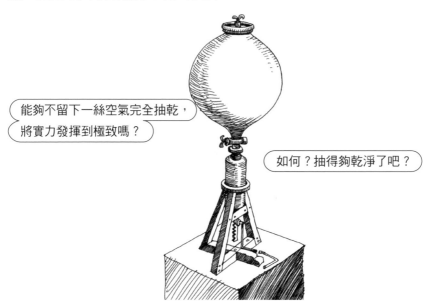

他們兩人使用以活塞與汽缸做成的幫浦，將直徑40cm左右的圓形容器內的空氣抽光，進行了不少實驗。

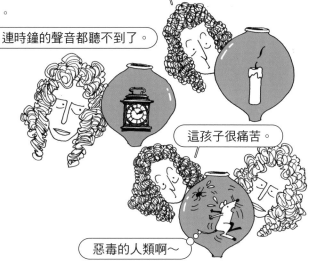

透過實驗，他們得知在燃燒過程中，空氣扮演了重要的角色，並且證實了聲音的傳導，以及動物的生存，都必須依賴空氣。

他們也發現，將裝有一半空氣的袋子放入容器中，
再將容器的空氣抽光，袋子會膨脹變大。

若要解釋這袋子的彈性變化，
我們怎能不假設，細小的空氣
粒子在空隙中四處彈跳亂竄？

在溫度固定的情況下，空氣的壓力與體積成反比，這是今日我們所熟知的「波以耳定律」。不過這個氣壓測量實驗，原本是由英國的湯利（Richard Towneley）與包爾（Henry Power）進行的，他們將這實驗結果與波以耳分享。

我們是這樣想的，如果你們
以實驗證實的話，不就
只有你們變有名了嗎？

感謝提醒啊～

波以耳與虎克一起檢視了所有與大氣壓力相關的內容，並做出湯利與包爾的推測是合理的結論。雖然波以耳強調，所有的成果都是與虎克共同研究的結果。

我希望你能明白，我的本意並不是想獨佔這份為了科學復興而做的努力。

不過這個首度被整理出來，關於空氣現象的著名定律，最後被命名為「波以耳定律」。

這不是我決定的，是人們要這樣命名，請你不要介意。

我怎麼會介意呢？請給我獎金吧～

波以耳標榜著立足於培根主義的實驗精神與共同研究，持續與許多哲學家交流、交換意見，並與他們於1660年一起成立了英國皇家學會。

04

奠定物種分類的基石

林奈

卡爾・馮・林奈 Carl von Linné (1707〜1778)

瑞典博物學家，細分多樣生物以及確認分類體制，確立將各
生物以屬名與種名標示出來的二名法。

在《聖經・創世紀》中，造物主對第一個人類亞當所交付的第一個任務，就是為世間萬物命名。人類是動物的一種，卻是獨一無二可以為自己命名以及觀察分析其他對象的動物。18世紀，林奈確立了命名法與分類學體系的現代生物學基石。

這世上有許多種類的生物，他們
各自有自己的名字。

好想要有個更可愛
的名字。

大隊長，人們好像叫
我們「獅子」呢。

而他們的命名，則是依
據其外貌或行為等特徵
來分類。

這小傢伙是有脊椎、
會生小寶寶並哺乳的哺乳類動物。

你是哪個單位的？

不過動物自己不會知道自己被貼上什麼名字，屬於哪一個類別。

啃！

你這個要被吃掉的傢伙，追究這些做什麼？

為生物命名、分類，是只有人類才關心的事情。

所以你們是怎麼為人類命名跟分類的呢？

那是最難的！

當然，就生物學來說人也是動物的一種，不過這也是人類自行決定的分類。

例如，人類是唯一將自己當成主體，將其他生物及大自然當成客體分析的生物。

在科學領域，命名原則就是要制定出一個可以與他人共享的標準。

我叫我自己小可愛的事，就我倆知道就好喲。

這真是很不科學的行為。

將各種東西依據相似性質分類，為的是可製作出方便的清單及系統圖。

氦（He）、氖（Ne）、氬（Ar）你們就一組吧！

根據什麼？

你們是最外圈有8個電子的原子，不需要跟其他人進行反應也無所謂的傢伙。

屬於惰性氣體。

在生物學中，命名與分類也是學問的重要基礎。然而，生物的種類是如此多樣、屬性也相當複雜，難以單純地分類。

這是腔腸動物，是沒有脊椎、沒有肛門的生物。

？

沒有肛門？那吃下去的東西會去哪裡？

我不忍用我的嘴巴說出口。

從食性、生殖方法到移動方式……都相當複雜。

直到現今的科學分類系統完成為止，自然哲學家們為了構思出有效率的生物分類法，苦惱了很長一段時間。

我們用能吃的跟不能吃的分類吧。

這樣好像不太科學？

總是要先填飽肚子才能搞科學吧！

像亞里斯多德等古代自然哲學家們認為，地球上的所有生命體，皆依循著協調的階級順序。

分類方式一路發展，直到16世紀義大利的切薩爾皮諾（Andrea Cesalpino）依據植物的果實與種子構造分類。

1686年，英國博物學家雷（John Ray）確定並定物種的概念。

延續這些努力與成果，完成具有現代意義的生物命名法與分類學的大師，就是出身自瑞典鄉村的林奈。

林奈被稱為小小植物學家，是一位好奇心重、沉溺於採集與研究的小孩。雖然他的父親希望自己的兒子順利成為一位牧師，但林奈為了生物學而進入醫學院就讀。

林奈在烏普薩拉大學遇上著名的植物學家，
攝爾修斯（Olof Celsius）教授，他看出林奈的潛能，自願成為他的資助者。

這論文是你寫的？

是的。

你今年幾歲？

22歲。

下學期你就負責授課吧！

我現在才二年級耶？

Olof Rudbeck

經由攝爾修斯的介紹，魯德貝克（Olof Rudbeck）教授也看到林奈的資質與踏實的個性，所以很早就將研究與授課工作交給他。

因為講師經歷，讓他很早就成為教授，雖然林奈相當嚴格，卻在學生之間擁有高人氣。

現在要徵求可以一起參與最嚴酷、艱辛的動植物採集探險任務的學生。

我！

我只要有飯吃就可以認真採集。

不用給我太多飯也可以！

他完全沒有浪費時間，組成有條不紊地執行現場調查工作的夢幻小組。林奈的執著與熱情終於開花結果，1735年，在自然界具有紀念性意義的著作《自然系統》出版。

休息時間除外，要認真地執行任務！

是的！

禁止穿私人服裝，要穿制服！

是的！

我們就如同採集實驗研究的軍隊！

遵命！

現在開始！

遵命！

《自然系統》一書直到林奈過世的1778年為止，總共發行了十二版，網羅了6,000多種植物與4,000多種動物。

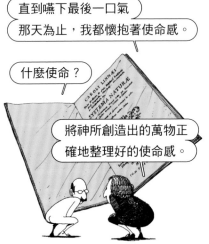

直到嚥下最後一口氣那天為止，我都懷抱著使命感。

什麼使命？

將神所創造出的萬物正確地整理好的使命感。

在過去，生物的分類方式因人而異，令人相當混亂。不過林奈從整體生物群開始細分，一層層分下去，完成了有系統的生物分類方式。

今日生物學所使用的「界」（kingdom）到種（species）的標準分類系統，就是由林奈所創造的。

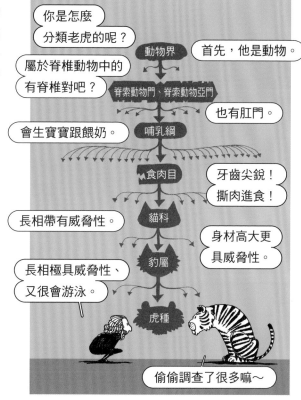

林奈認為，為了能更有效率地研究生物學，必須讓所有的科學家採用同樣的方式為生物命名。

> 現在我要發表標準的命名方式。

> 你怎能擅自作主？

> 因為你們到目前為止都沒有做，所以我說了算。

林奈所提案的生物屬名、種名並行的記載方式，直至今日，仍是全世界生物學家遵循的二名法。

> 屬名的第一字母是大寫、種名的第一個字母是小寫，全部以拉丁文表示。

Homo sapiens

> 一定要用拉丁文嗎？

> 為了看起來更有程度，就用拉丁文吧。

因為二名法的關係，即使世界各地對於同一生物可能會有不同的名稱，但在學術名稱上是統一的。

호랑이！

老虎！

Tiger！

tigre!

Panthera tigris

動物界、脊索動物門、哺乳綱、靈長目……

叫我進去動物班？

去那邊當老大吧！

林奈認為，在他所設計的生物分類框架下，人類也毫無例外，智人（*Homo sapiens*）是屬於在動物界之下。

真開心。請記住我是跟你們有點像，卻又完全不同的人喔。

可以狠狠咬你一口嗎？

不過在他的命名中，人類不與其他動物共用屬名，是單一物種。

讓現代生物學奠定穩固基礎的林奈，享有極高的名譽，在1778年逝世於瑞典。

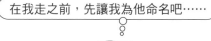

在我走之前，先讓我為他命名吧……

05

氣體再發現
布拉克

約瑟夫・布拉克 Joseph Black (1728～1799)

英國化學家,透過實驗發現空氣中包含了二氧化碳的存在,並確認它是與大氣不同的氣體。在實驗過程中經由測量物質重量,確立了定量化學。

18世紀的科學家們，達成發現二氧化碳、氫氣、氧氣等各種氣體的不凡成就。其中最初被發現的，就是今日被我們稱為二氧化碳的氣體，是在1754年由布拉克經由縝密的實驗所發現。首度確認了空氣並非單一物質，而是由混合物質組成。

我們都知道空氣是由許多不同氣體混合而成。

氮氣（N_2）、氧氣（O_2）、二氧化碳（CO_2）……

追加甲烷！

噗

空氣就只是空氣啊。

但是直到18世紀中葉為止，人們還認為空氣就只有一個元素。

真的要分開的話……

就是污濁的空氣跟乾淨的空氣？

原因在於亞里斯多德。

在天文學領域，已經克服了由亞里斯多德
區分為地上界與天上界的世界觀。

在物理學的領域，也出現令
人刮目相看的革新。

然而，在探索物質的性質與變化的領域中，
依然無法跨越亞里斯多德這座高山。

而最先打破這頑固物質觀的先驅，就是研究氣體的科學家們。

他們透過多種實驗，發現了一個個不同的氣體。

在近代化學的氣體發現之旅中，第一個達成的人就是布拉克。

我是第一個！

什麼的第一個？

是我先發現那個！

他透過實驗首度發現的氣體，就是二氧化碳。

不過二氧化碳這個名字是之後才出現的。

那你發現的時候它叫什麼？

我叫它「固定氣體」。

為什麼？

說來話長。

如同一切探索未知的發現一樣，布拉克並非一開始就想要發現什麼特定氣體。

那最初是帶著怎樣的想法呢？

開發新藥的夢想？

藥？

布拉克在大學專攻醫學、解剖學，他所就讀的學校有一位思想開闊，擁有最新思維的教授。

別看我這樣，我可是個醫學博士。

我是卡倫（William Cullen）。

我突然感覺到教授會帶給我很大的影響。

這感覺不錯。

遇到對的老師，真的會讓人生如盛開的花朵一樣。

我一直覺得我會比教授更厲害。

一直有感覺嗎？

布拉克深深著迷於卡倫教授的化學課，最後成為教授的助教，一同進行研究。

1752年左右，在博士論文發表之前，
布拉克沉迷於實驗碳酸鈣（$CaCO_3$）、碳酸鎂（$MgCO_3$）一類的碳酸鹽。

碳酸鹽是溶解在水中的碳酸根離子與鈣或鎂結合的狀態。石灰石的主要成分也是碳酸鈣。

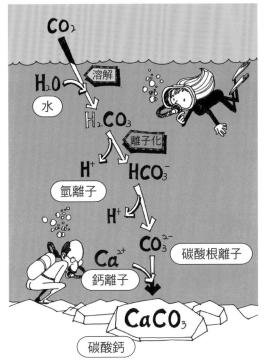

就像今天我們若要採集
二氧化碳，多半也是用
石灰石。

將石灰石與鹽酸或硫酸反應，

2 HCl

$CaCO_3$

CO_2

會產生二氧化碳。

H_2O

$CaCl_2$

當石灰石（碳酸鈣）變成生石灰（氧化鈣）。

布拉克將石灰石加熱，非
常仔細觀察轉變成生石灰
的過程。

石灰石 $\quad\quad\quad$ 生石灰
$$CaCO_3 \Rightarrow CO_2 \; CaO$$

好像感覺來囉～

作者好像發現我們
跑走了！

在實驗過程中，他執著於測量反應前與反應後的物質重量。

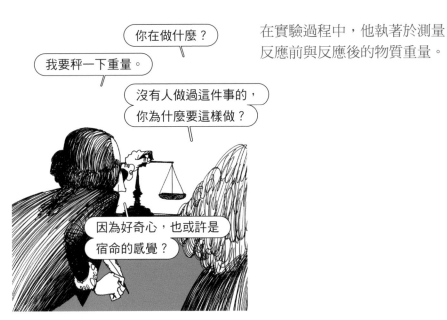

也正因如此，當時沒有人注意到的事實，反而讓布拉克發現。

他發現，相較於反應前，反應後所產生的物質反而更輕。

在變化過程中，沒有檢測出水或是其他物質，更讓他確立了自己的想法。

為了捕捉這些氣體，布拉克做了無數實驗，最後終於了解了氣體性質。

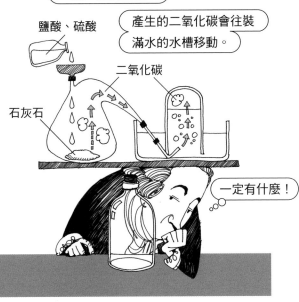

在裝有石灰石的密封燒瓶，一點一點滴進酸，

產生的二氧化碳會往裝滿水的水槽移動。

鹽酸、硫酸

二氧化碳

石灰石

一定有什麼！

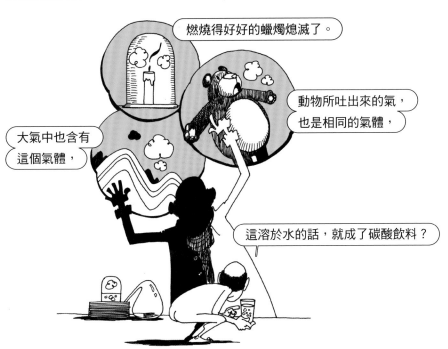

燃燒得好好的蠟燭熄滅了。

動物所吐出來的氣，也是相同的氣體，

大氣中也含有這個氣體，

這溶於水的話，就成了碳酸飲料？

接著，他將自己發現的氣體取名為「固定氣體（fixed air）」。

布拉克收集了所有與固定氣
體相關的所有研究結果，於
1754年提出論文、1756年出
版成書。

因為發現了二氧化碳這種特別氣體的存在，
也一併改變了眾人對於空氣的既有概念。

有能讓心情變好的氣體嗎？

空氣中會有多少氣體呢？

會有那種一吸就讓人頭痛的吧？

同時，透過布拉克的研究案例，
科學界終於領悟到定量實驗的方
法有多重要。

為了獲得確實的證據，需要些什麼？

正確的秤

誰教你的？

布拉克先生。

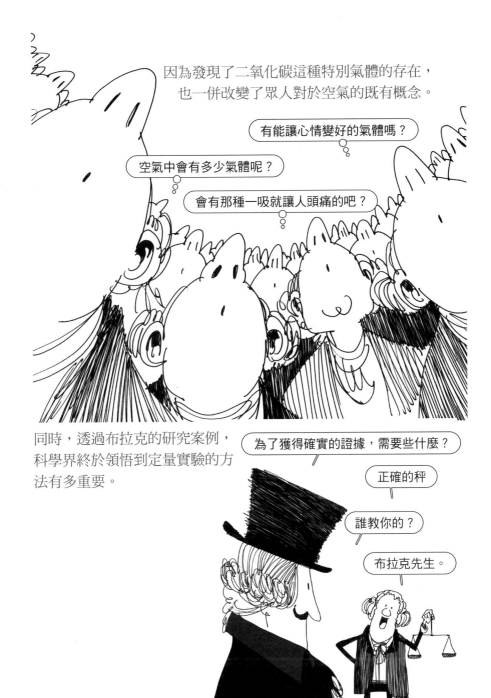

布拉克在水與水蒸氣的相關研究
中，也取得卓越的成果。

有聽過潛熱嗎？
那是我先發現的。

潛熱？

舉例來說，要讓冰（固態的水）
熔化變回液態的水，需要熱能。

當到達熔點開始轉變成水時，溫度並
不會產生變化，而是持續吸收熱量。

冰會從留在杯中的水吸收
熱能，所以冰會變水。

從哪裡？

潛熱，即隱藏的熱能。是固體
變成液體、液體變成氣體等狀
態變化時，吸收或釋放的熱。
此時熱還是持續吸收或釋放，
但因所有能量都用於改變狀態
的關係，所以物質的溫度不會
產生變化。

當水到達沸點變成水蒸氣時也是，水的溫度會維持在100°C。

總之，布拉克對於氣體所執著的好奇心與眾多研究，讓他不僅僅為近代化學開啟了大門，也為工業革命提供了重要的線索。

詹姆斯啊，你應該知道我在說什麼吧？
對那些做威士忌的孩子說真是對牛彈琴。

06

相信「燃素說」的科學家們

卡文迪許與普利斯特里

亨利・卡文迪許 Henry Cavendish (1731～1810)

英國化學家及物理學家，發現了氫氣，以及發現氫與氧結合
會變成水的事實。

約瑟夫・普利斯特里 Joseph Priestley (1733～1804)

英國牧師及化學家，首次發現氧氣。氧的發現，使得大家得
以全新理解化學反應中的元素、化合物等概念。

直到18世紀後期，許多科學家仍認為火這種物質是燃素
（phlogiston）的釋放。

發現了氫氣等多種氣體的卡文迪許，也是燃素說的支持者。

普利斯特里即使發現了氧氣，也依然相信燃素說，這讓他為
化學發展貢獻的功勞拱手讓人。

火會發出強烈的亮光，炙熱地燃燒。

然而，火並不是某種物質，而是燃燒過程中所產生的現象。

但是，從前的人覺得火本身是一種物質，他們認為燃燒的火焰是某種向外流失的物質。

靠近一點看仔細，看得到什麼跑出來嗎？

真累。

G.E.Stahl

我感覺到眉毛要燒焦了。

水、火、土、空氣。

Aristotle

我對這些說法感到厭倦了。

根據今日的科學知識，空氣中的氧氣在物質的「燃燒過程」中會漸漸減少；而當時的人們卻認為，物質越燃燒，周圍的空氣會越增加。

氧氣

可以理解成，從讓火燃燒的物質中跑出了些什麼到空氣中。

好像懂又好像不懂。

在近代科學時期，連許多著名科學家，都被「燃素」這個假設物質給迷惑。

這名字是我取的。
我是史塔爾（Georg Ernst Stahl）。

除了為根本不存在的東西取名字之外，你還有做什麼嗎？

都沒有這件事有名。

先別一味地堅持，好好看著唷！

你要做什麼？

先來點燃吧。

在當時，相信燃素說的科學家們的主張，其實也不算太荒謬。舉例來說，仔細看木材燃燒時，是不是好像有什麼東西跑出來一樣？

仔細看，再看仔細點，直到看到為止，看仔細點！

還滿值得一看的。

再者，燃燒過後剩餘的灰燼，
重量就好像真的掉了什麼似的
變輕了。

根據推測，燃燒得越旺，
就代表燃素的含量越多。

我也變輕了嗎？

他們也解釋了在密閉空
間中，當氧氣消耗殆盡
時燃燒終止的情況。

當跑出來的燃素充滿
整個空間時，就停止燃燒。

要將木材全部燒完的話，這房子坪數要更大才行。

不過金屬的情況就不同
了，當金屬氧化時，會
比燃燒之前更重。

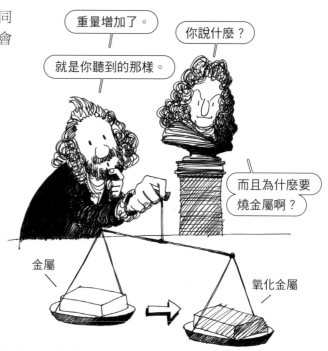

無法放棄燃素的科學家們，用盡各種方法，
守護著這個假設性的物質。

爾後18世紀後半葉氧被發現，
因而重新定義了燃燒過程，從
此這個關於火的錯誤線索——
燃素，就此走入歷史。

是誰發現氧氣的？

我！

是我

應該是我吧？

大家都說自己發現的耶？

有點複雜，這晚點再說吧！

布拉克將二氧化碳
稱為「固定氣體」。

Joseph Black
(1728 - 1799)

在此期間，還有其他科學家
依據各自的觀點，致力於氣
體研究。1754年，布拉克首
度發現二氧化碳。

第二個被發現的氣體是氫氣。

是我在1766年發現的。

你的大名是？

亨利‧卡文迪許，我是有錢人喔。

我沒問你這個。

我不只是有錢人，是超級富裕的有錢人！

卡文迪許確認了當鋅、鐵、錫這類金屬與酸進行反應時，會產生氣泡。

稀釋的鹽酸

金屬碎片

它與一般空氣不同，當然它也不是固定氣體。

很明顯地還有另一個氣體。

你一定很開心吧？

反正我就是有錢人。

這跟那又有什麼關係？

氫氣產生於金屬溶於酸的過程中，卡文迪許認為該氣體是從金屬中釋出的。

鋅 氯化鋅

$Zn + 2HCl \Rightarrow ZnCl_2 + H_2$

鹽酸 氫氣

所以你認為它是燃素嗎？

是有這個念頭。

然後在實驗過程中，他發現該氣體可以燃燒，所以將之命名為「可燃性氣體（inflammable air）」。

我試著測量重量與計算密度。

然後呢？

它大約是一般空氣密度的14分之1左右。

可以飛上天的氫氣熱氣球就是這樣被發明的吧？

發明那要做什麼？
我可是無法言喻的有錢人喔。

1781年，卡文迪許也發現了
燃燒的氫氣與氧氣結合後會
變成水的事實。

氧氣

氫氣

水

為什麼跳過了氧氣？

氧氣的故事有點長，等我講完我的故
事之後再說。

將可燃性氣體與一般空氣混合後，
在其爆炸過後的容器內側會出現水珠。

那是純水。

在當時氧氣已經被發現，但是
他推斷出氧氣與氫氣以1：2的
體積比例結合可形成水，其實
驗成果與直覺依然令人讚嘆。

也證實了水的化學式？

發現氧氣之後，也開啟了化學革命的時代。

氧氣的發現，比起其他氣體的發現更具戲劇性。

我才是發現它的始祖。

有證據嗎？

你有寫論文嗎？

當時許多人提出了各種不同觀點，但無庸置疑地，普利斯特里扮演了決定性的關鍵角色。

就是我。

你是科學家嗎？

我的本業是牧師。

很讓人意外呢！

牧師就該無知嗎？

當我看到酒桶上因發酵而形成的氣體層時，恰巧發覺的。

發覺什麼？

我將燃燒的蠟燭靠近那層氣體，燭火就會熄滅。所以那是固定氣體。

他的氣體研究，開始於在釀酒廠發現了二氧化碳——也就是當時已知的固定氣體。

同時，他也得知將那氣體溶於水的話，會變成人造蘇打水。

普利斯特里的家境並不寬裕，但在舒爾伯爵的支持下，可以滿足他對科學的好奇心。

普利斯特里最重要的成就，發生在1774年8月1日。在密閉燒瓶中放入水銀灰並加熱的過程中，出現了神奇的現象。

那個空氣是會讓燭火燒得更久更旺，人吸了之後心情會變好的特別氣體。

那個特別的氣體就是氧氣，所以當然有助於燃燒，不過普利斯特里卻被燃素給限制住了！

在這氣體中，越燃燒就會跑出越多燃素對吧？

啊？

所以這個氣體跟普通的空氣不一樣，可以更充裕地接受更多燃素不是嗎？

越來越？

這是沒有燃素的氣體。

我的天啊！

正式紀錄上，首度發現氧氣者是普利斯特里，他將自己發現的氣體命名為「脫燃素氣體（dephlogisticated air）」。

居然可以想出脫燃素氣體這名字！我真是太佩服我自己。

看來吸了氧氣有點興奮啊。

越想越覺得我實在是太了不起。

普利斯特里解開火的秘密，成為最偉大的近代科學家。但他對於燃燒過程的說明依然稍嫌不足。

不過普利斯特里為了驗證自己的看法，前往拜訪了某人。

您在嗎？

為什麼要找他呢？

可能因為吸了太多會令人開心的氣體，所以想說些什麼吧！

您在嗎？

？

那個人就是拉瓦節。

07

化學革命的悲劇
拉瓦節

安東萬‧拉瓦節 Antoine Lavoisier (1743～1794)

法國化學家。與多數科學家不同，他不相信燃素的存在，確立了新的燃燒理論，透過定量實驗，樹立質量守恆定律。

氧氣、oxygen、化學符號O、原子序8，一般來說，氣體是由
兩個原子相結合而成。18世紀時，確認了氧氣的存在，也被
稱為化學革命的時代。開啟這個時代序幕的主角，就是拉瓦
節。

1774年，英國的普利斯特里，前來拜訪巴黎的拉瓦節。

此時的普利斯特里，因為發現了新氣體而相當興奮。

普利斯特里想必長篇大論說起
自己的發現吧？

這是把水銀灰加熱之後獲得的。
就是啊，這個氣體居然可以讓燭
火不停地燃燒耶！所以這個物
質，就是在燃燒時會跑出很多很
多燃素氣體。換句話說，這是沒
有燃素的氣體！

這是在說啥咪？

當火熊熊燃燒的時候，應該不是有什麼跑出
來，而是加了什麼進去的感覺才對啊。

我還沒說完哪，你怎麼就神遊起來了？

不過，普利斯特里正在說
明的當下，拉瓦節卻想著
其他事情。

拉瓦節與當時多數科學家的想法不一樣，他並不相信燃素的存在。

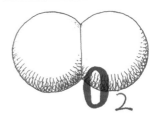

聽到燃素就覺得累。

還不如說，物質燃燒是因為加進了某種空氣所導致的現象。

是因為我的說明太困難了嗎？

這個人所發現的那個空氣，該不會就是我所想的那個吧？

沒什麼反應呢，那我走囉～

他認為普利斯特里所說的氣體，應該就是自己最近透過實驗所預測，與燃燒和鍛燒*直接相關的氣體。

*鍛燒
將固體加熱，進行熱分解或去除揮發性成分的熱處理過程。

那個氣體就是氧氣。

oxygen

化學符號O、原子序8。

O_2

一般來說，氣體是由兩個原子相結合而成。

要我們家門世世代代不愁吃穿的話，要怎麼做呢？

要聽父親的話。

很好，不虧是我兒子。

法國名門律師家族出身的拉瓦節，依照父親的期望，認真地朝律師之路邁進。

然而，他關心的始終是科學。

那我用法律賺錢、用科學獲得名聲怎麼樣？

很好，比我棒！

教授對我非常的好！

教授們毫不保留地鼓勵、支持拉瓦節的天分與熱情。

你很有天分、又是名門出身，不支持你要支持誰呢？

拉瓦節則是以認真地上課、研究、探險，來回報教授們的賞識與鼓勵。

魯艾爾教授的化學課、

蓋塔教授的地質學探險……

你真的很認真喔！

沒錯！這都是為了不負大家對我的期望啊。

恭喜你成為最年輕的學會會員。

也多虧於此，讓拉瓦節得以比其他人更早成為法國科學會的一員，在有制度的學會之中，可以穩定專注地進行研究。同時，他也努力不懈地賺錢。

果然認真努力是會有代價的。

身為稅收代理人，賺了很多錢。

因為拉瓦節打破當時人們所認定的普通觀念，因而獲得科學界莫大的矚目。

真的是金錢跟名譽兩邊都兼顧了。

看來野心不小喔。

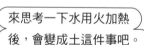

來思考一下水用火加熱後，會變成土這件事吧。

你看，水全部蒸發之後，剩下一些殘渣對吧？

嗯！

這就是水變成土？

拉瓦節並不認為水、火、土、空氣是單一元素，他用不同於其他人的方式進行了各種實驗。

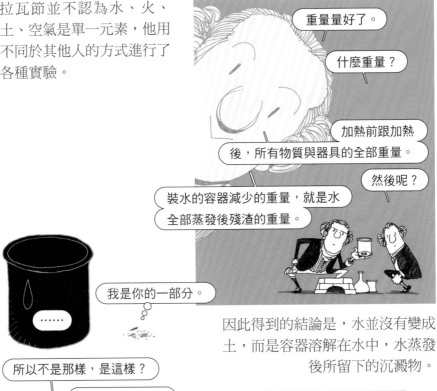

重量量好了。

什麼重量？

加熱前跟加熱後，所有物質與器具的全部重量。

然後呢？

裝水的容器減少的重量，就是水全部蒸發後殘渣的重量。

我是你的一部分。

……

所以不是那樣，是這樣？

有點虛無縹緲。

因此得到的結論是，水並沒有變成土，而是容器溶解在水中，水蒸發後所留下的沉澱物。

每回都這樣縝密地測量重量，讓我想起一句話。

什麼話？

好像是什麼質量守恆定律……？

拉瓦節比任何人都還深刻地領悟到，在化學研究中，定量實驗的重要性。

將錫放進燒瓶中密封，然後加熱。

會產生灰燼。

再將燒瓶放入水中，
將瓶蓋打開，空氣就減少了呢。

減少了多少？

5分之1。

當時，拉瓦節埋首在新的實
驗當中，他大膽地認為，一
部分的空氣與錫相結合了。

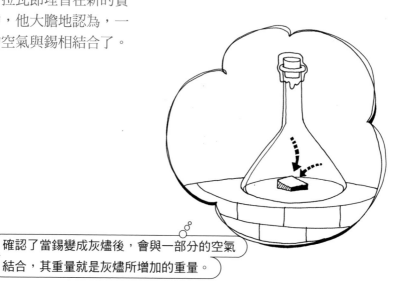

確認了當錫變成灰燼後，會與一部分的空氣
結合，其重量就是灰燼所增加的重量。

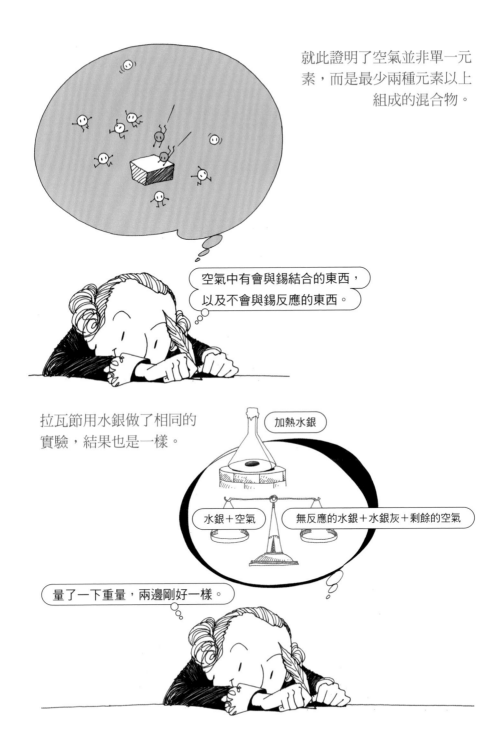

就此證明了空氣並非單一元素，而是最少兩種元素以上組成的混合物。

空氣中有會與錫結合的東西，以及不會與錫反應的東西。

拉瓦節用水銀做了相同的實驗，結果也是一樣。

加熱水銀

水銀＋空氣　　無反應的水銀＋水銀灰＋剩餘的空氣

量了一下重量，兩邊剛好一樣。

就在此時，普利斯特里找上門。拉瓦節與普利斯特里兩人發現了同樣的空氣，但兩人的實驗過程卻完全相反。

請問有什麼事嗎？

想要您稱讚我。

最近我沒空稱讚人呢？

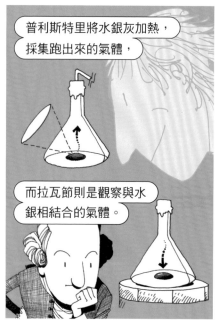

普利斯特里將水銀灰加熱，採集跑出來的氣體，

而拉瓦節則是觀察與水銀相結合的氣體。

聰明的拉瓦節意識到，普利斯特里所發現的「脫燃素氣體」，與自己實驗中減少的空氣是同一種氣體。

就是那個！

呵呵呵……

不過，對於這個新氣體，拉瓦節卻跟普利斯特里有著不同的想法與看法。

燃素真是個很大的錯覺。

此外，拉瓦節更進一步證明，那個氣體在燃燒過程中扮演了什麼角色。

物質與這個氣體結合的過程中，

又發熱、又發光，

是火啊！

氣體　光　熱

物質

人們一看見那個，就會說是火。

氧氣　氧氣

燃燒
Combustion

鍛燒
calcination

就這樣，關於物質燃燒、金屬氧化的燃燒與鍛燒的秘密就此解開，也讓長久以來為了說明火而必須採用的燃素理論，自此在科學領域消失無蹤。

金屬生鏽也是相同的反應。

往後的人們，會稱呼這叫化學革命吧？

怎麼都不說是託我的福呢？

← Marie Anne Lavoisier

瑪麗安・拉瓦節，是拉瓦節的夫人，也是拉瓦節學術研究上的夥伴。

我要幫你取名為……

你要叫它什麼呢？

為什麼？

氧氣！

因為它與磷結合會形成磷酸，所以是製造酸性的氣體之意。

雖然後來證實，只有非金屬的氧化物溶解後才是酸的，但瓦拉節的貢獻還是毋庸置疑。

同時，他也讓一直以來名稱各異的化合物名稱，開始採用有系統的命名法。

只要聽到名字，就可以知道化合物的構成要素有哪些。

例如？

硫化鉛（lead sulfide）。

一看就知道是硫與鉛的結合對吧？

經過一連串的定量實驗，也就此確立這項重要的科學定律。

它原本的名字是什麼？

方鉛礦（galena）

質量守恆定律！

你說什麼？

反應前所有物質的總重量，在反應後不會改變。

拉瓦節這些值得被稱為化學革命的所有研究成就，收錄在《化學要論》一書，於1789年出版。

TRAITÉ ÉLÉMENTAIRE DE CHIMIE, PRÉSENTÉ DANS UN ORDRE NOUVEAU ET D'APRÈS LES DÉCOUVERTES MODERNES, PAR M. LAVOISIER.

À PARIS.

法國大革命！

然而，身為稅金徵收員的這個職業，卻成了大問題。

拉瓦節最終於1794年被送上斷頭台。

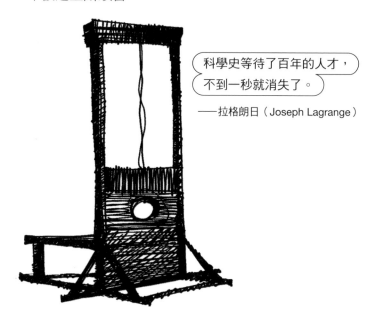

08
偉大的假說──原子論
道爾吞

約翰·道爾吞 John Dalton (1766～1844)

英國化學家、物理學家，他規範了物質最基本的單位為原子，透過定量實驗所得資料，賦予物質基本原子量，這也成為日後諸多科學家構思出更精巧的原子模型的基礎。

在科學家們不關心的鍊金術，也發展出以定量處理物質性質與變化的化學的時代，道爾吞提出了近代原子論，即所有元素都是由所持固有性質的最小基本粒子所組成，為化學研究提供了重要的關鍵線索。

人們多半不相信無法親眼
所見的事物。

聽說那口井裡有鬼。

你有看到過嗎？

……

太可怕了我不敢看。

你家有住著鬼。

我沒看到啊？

如果看得見，還算是鬼嗎？

除了那些相信超自然存在的宗教
或民間信仰，以及長久以來的習
俗領域。

你可以看見鬼這件事真是太不科學了。

那怎樣才是很科學？

正在觀察你誤以為看到鬼的眼睛
跟大腦的我，才是很科學。

一般認為，至少在科學領域中，只
討論明確的、有經驗的、有感覺的
研究對象。

然而到了今日，我們的科學發展得越高端先進，我們越是將肉眼看不見的微觀世界中發生的現象作為研究目標。

而且，那些所有研究的基礎，都是我們日常生活中看不見、摸不著，卻又確實存在的東西。

你今天成為科學家，是為了研究那些顯而易見的東西嗎？

就算看不見，也必須要相信。

為什麼？

如果不相信這個，就做不了科學了。

那個是什麼？

物質的最小單位是原子（atom）。

原子！

ATOM

萬物的根源，是無法再被細分的小微粒。

拿來給我看看。

因為沒有電子顯微鏡跟粒子加速器，所以沒辦法給你看。

你真是在胡說一通。

在原子概念最早被提出的西元前400年左右，當時無法被理解狀況就更不用說了。

可以讓我看看嗎？

沉睡超過2,000年的原子論，終於在19世紀又重回科學舞台，但原子依舊是無法被觀察到的存在。

有點困難。

那就不能算是科學啊！

正因為違背了一般常識，所以古
代哲學家才會放棄原子論。

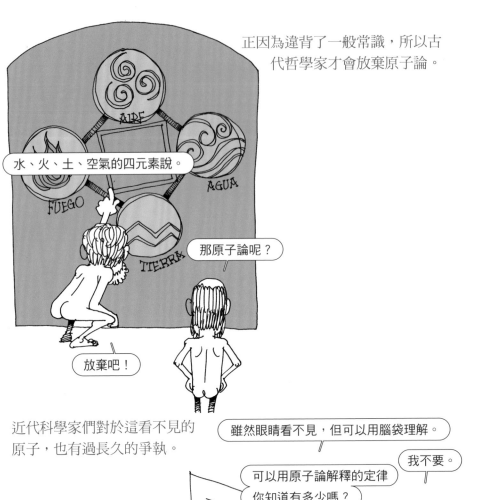

水、火、土、空氣的四元素說。

那原子論呢？

放棄吧！

近代科學家們對於這看不見的
原子，也有過長久的爭執。

雖然眼睛看不見，但可以用腦袋理解。

我不要。

可以用原子論解釋的定律
你知道有多少嗎？

我不想知道。

想像力比較靈活的人，與堅持要看到實證的人們，就這樣直到20紀初，都不斷地爭執著原子論。

我不勉強你，但你願不願意試著敞開心胸，發揮一下想像力呢？

我不要。

將這個燙手山芋丟進近代科學世界的，是白手起家的英國科學家，道爾吞。

因為這無止境的反覆爭論，聽說甚至有科學家因此過度憂鬱而自殺。

是被惡意留言困擾導致的嗎？

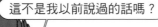

原子是由無法再進行分割的最終粒子……

這不是我以前說過的話嗎？

這跟那在層次上不同。

德謨克利特（Democritus）

道爾吞出生於兄弟眾多的貧窮家庭，但他卻非常好學，尤其對數學與自然科學深感興趣。

15歲起就有規律地仔細觀測氣象，可說是一位天生的科學家。

因為對於氣象學的熱情，自然而然地也對大氣成分中的氣體開始想要研究探索。

就在道爾呑以科學家身分漸漸獲得名聲之時，已經有幾位科學家透過實驗，發表了著名的化學反應定律。

稱之為質量守恆定律。

氫氣1g 氧氣8g 水9g

拉瓦節確認了，化學所使用的物質，在反應前與反應後的質量總和不會改變。

那不是理所當然的事情嗎？

偉大的事物總是理所當然。

構成化合物的各個元素的質量比，始終相同。

1779年，普魯斯特（Joseph Louis Proust）發表了定比定律。

舉例來說，氫氣與氧氣總是在1：8的比例時，才會產生反應形成水。

氫氣1 氧氣8

若是氫氣是2g，氧氣要多少呢？

16g。

當兩個元素可互相生成不同的化合物時，
其中一元素與所結合的另一元素的質量，
會呈現簡單的整數比。

1803年，道爾吞也發現了一個定律，名留科學史。

這就是倍比定律。

舉例來說，碳與氧氣結合時，可以做出
一氧化碳或是二氧化碳之類的化合物對吧？

當結合成一氧化碳時，每1g碳需要1.33g的氧氣，
結合成二氧化碳時，每1g的碳需要2.66g的氧氣。

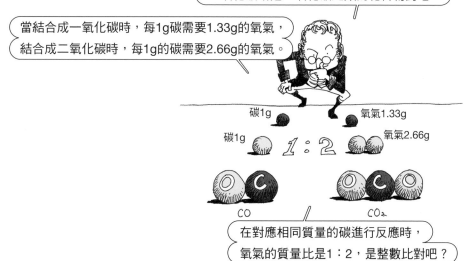

碳1g　　　　　氧氣1.33g

碳1g　1：2　氧氣2.66g

CO　　　　　CO₂

在對應相同質量的碳進行反應時，
氧氣的質量比是1：2，是整數比對吧？

這些都是透過嚴密的定量實驗所獲得的事實，但還是有一個問題尚待解決。在化學反應中，元素們為何都依循著這些定律，沒有科學家都找得出原因。

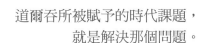

道爾吞所被賦予的時代課題，就是解決那個問題。

道爾吞認為，要先理解物質
的根本型態與屬性，才是解
決這個問題的關鍵。

要能成為簡單整數比，
就意味著要有一直固定的基本單位……

所以，讓我們假設物質
是以基本粒子組成？

以及，所有的元素
都有其固定的質量值？

首先要先決定最輕的元素的原子量，

再繼續進行比較。

帶著這份確信，他測量元素們的
相對質量，也就是原子量。而參
考測量值就是氫氣的質量。

Hydrogen

沒錯！就將氫的原子量訂為1吧。

就這樣，他測量了物質的基本原子量。

1g的氫氣與8g的氧氣反應之後，形成9g的水，所以氧的原子量是8。

咦！不是這樣吧？

那些之後再說啦……

道爾吞也規範了原子。

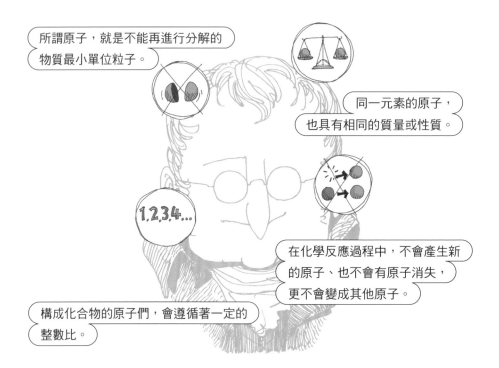

所謂原子，就是不能再進行分解的物質最小單位粒子。

同一元素的原子，也具有相同的質量或性質。

在化學反應過程中，不會產生新的原子、也不會有原子消失，更不會變成其他原子。

構成化合物的原子們，會遵循著一定的整數比。

1808年出版的《化學哲學的新體系》，記錄著這些所有相關內容。

我也為元素們製作了象徵記號。

道爾吞的原子論，以現代科學觀點來看，依然有其侷限性。

原子還可以被分為電子、質子、中子，甚至夸克。

即使是同位素的原子，原子量也有可能會不同。

透過核融合或是核分裂，也可以改變成另一個原子。

19世紀初的我，怎麼可能知道那種事情呢？

不過，他的原子論仍然是科學史上非常重要的假說。繼他之後，許多科學家開始構思更為精巧的原子模型。

20世紀的明星科學家費曼（Richard Feynman）曾說過，若這世上僅能留下一項科學知識的話，那當然就是原子假說。

道爾吞於1822年成為皇家學會會員，直到過世為止，持續為科學貢獻。

然而，如前所述，他的原子論仍有部分缺陷。

因為他不知道原子在大部分的自然狀態中，是以分子為單位存在。

接下來，又出現了難解的關卡。

你的原子模型，跟我的氣體反應定律不合呢？

那肯定是你的錯吧。

才不是呢，我才是對的！

Joseph Louis Gay-Lussac

為了解決這個問題，科學界又迎來另一位天才科學家的到來。

亞佛加厥先生，下一個換您，請準備喲～

09

以天才的直覺解決矛盾

亞佛加厥

阿密迪歐‧亞佛加厥 Amedeo Avogadro (1776～1856)

義大利物理學家兼化學家，確認可代表所有氣體性質的最小
粒子單位為分子。為了感念亞佛加厥的貢獻，質量內所有粒
子數目的近似值，被稱為「亞佛加厥數」。

道爾吞的原子論，規範出物質的最小單位，是相當卓越的成

就，然而卻還不足以說明氣體的化學反應。

這是由於在自然狀態中，氣體多半是由幾個原子結合而成，

以另一種物質單位──分子的型態存在。義大利科學家亞佛

加厥是首位解決這個問題的人，對化學發展具有重要貢獻。

只要一有機會，原子們就會互相交換或共享電子，引起化學反應。

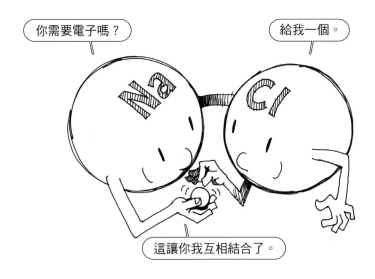

這是因為原子想要具有更穩定的狀態。

原子是由中心的原子核，以及周邊依循著軌道繞行的電子所構成。每個軌道可以進入的電子數量各不相同。

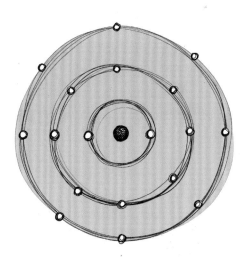

第一個軌道有2個、第二個軌道有8個、加上再下一層軌道，電子總數會是18個，距離原子核越遠，電子數量就越多。但若軌道上的電子沒有填滿，原子就會呈現不穩定的狀態。

於是為了填滿那數字，就需要與其他原子結合。

終於可以安心了。

為什麼要填滿才能安心呢？

因為這是我們的家訓，不多不少剛剛好。

我們剛剛好了。

既不會不足。

也不會超過。

氪（Kr）

氙（Xe）……

覺得好像有很自私的氣體？

我們叫做「noble gas」。

除了氦（He）、氖（Ne）、氬（Ar）等元素週期表18族的惰性氣體（inert gas）之外，氣體大部分在自然狀態下，都是以分子或是集結成化合物的狀態存在。

二氧化碳有2個氧原子與1個碳原子。

CO_2

氧氣則是有2個氧原子。

O_2

氨（NH_3）則是1個氮原子配3個氫原子。

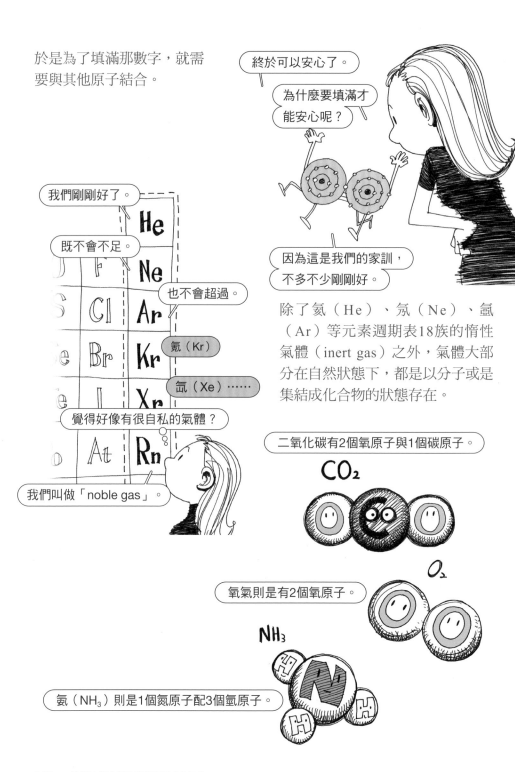

像這樣經由原子結合所形成的物質，其化學性質基本單位就是分子，是化學研究中極為重要的必要概念。

道爾吞先生不知道分子嗎？

不知道。

只知道原子，不知道分子這種話，你自己能相信嗎？

我覺得原子就說得通了。

John Dalton

你很堅持己見嗎？

接下來還要跟人一決勝負呢。

誰？

再過不久就會出現。

18世紀開啟的氣體研究延續到19世紀，因法拉第（Michael Faraday）等科學家的努力，達到了更進一步的成果。

也知道了加熱液體所形成的蒸氣，與氣體具有相同的性質。

誰要跟道爾吞先生打一架？

Michael Faraday

不是我。

在這些科學家當中，來自法國的給呂薩克（Joseph Louis Gay-Lussac）發現了一個很重要的定律。他出生在一個令人稱羨的富裕家庭，所以能夠無負擔地做他喜歡的科學實驗與研究。

他持續地關注氣體，並做了許多實驗。

他還搭乘熱氣球飛上高空，
調查大氣的成分。

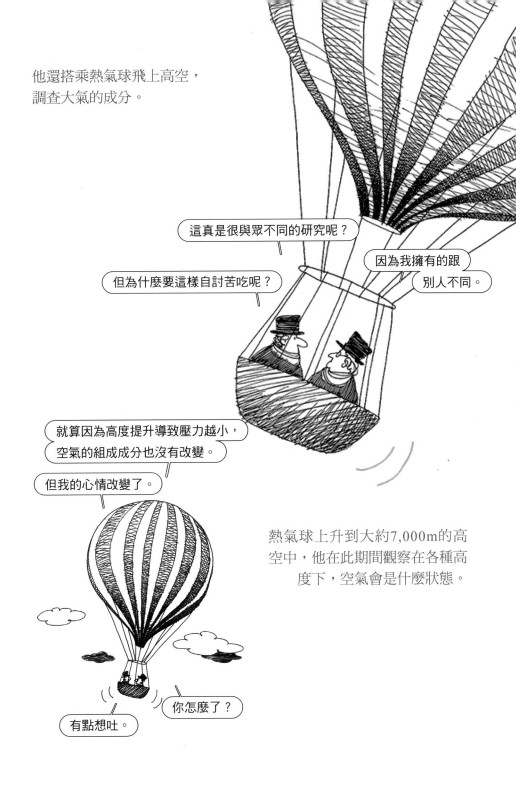

這真是很與眾不同的研究呢？

因為我擁有的跟別人不同。

但為什麼要這樣自討苦吃呢？

就算因為高度提升導致壓力越小，
空氣的組成成分也沒有改變。

但我的心情改變了。

熱氣球上升到大約7,000m的高
空中，他在此期間觀察在各種高
度下，空氣會是什麼狀態。

你怎麼了？

有點想吐。

在此過程中，他也發現了水蒸氣是氫氣與氧氣依據一定的整數比結合而成。

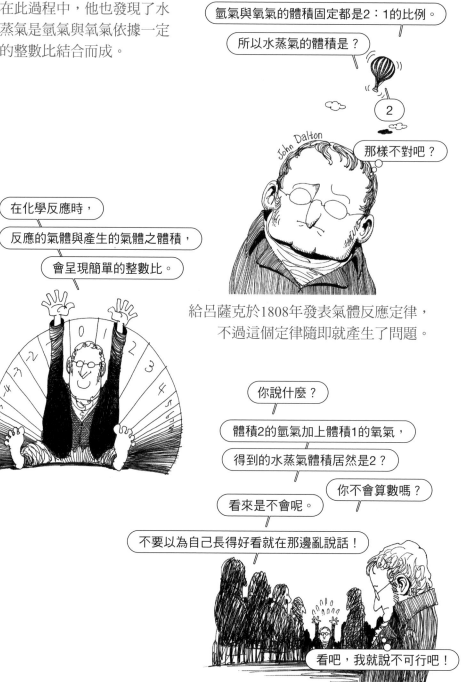

氫氣與氧氣的體積固定都是2：1的比例。

所以水蒸氣的體積是？

那樣不對吧？

在化學反應時，

反應的氣體與產生的氣體之體積，

會呈現簡單的整數比。

給呂薩克於1808年發表氣體反應定律，不過這個定律隨即就產生了問題。

你說什麼？

體積2的氫氣加上體積1的氧氣，

得到的水蒸氣體積居然是2？

你不會算數嗎？

看來是不會呢。

不要以為自己長得好看就在那邊亂說話！

看吧，我就說不可行吧！

因為他的說法與當時科學界所擁戴的
道爾呑原子論有所矛盾。

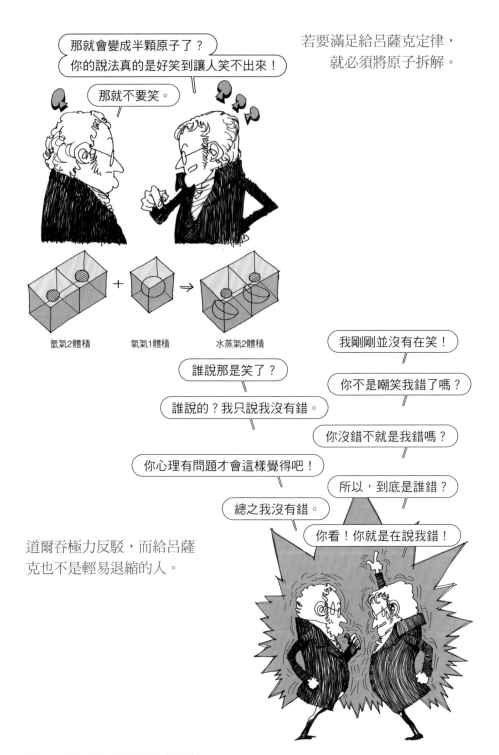

他就是亞佛加厥。

亞佛加厥出生於法律世家，很早就開始攻讀法律，20多歲時即從事法官工作。站在這個人人稱羨的社會地位，但他的命運似乎是注定要成為科學家。

你是引領司法界的重要支柱

可不是嗎。不過我最近有了些其他想法。

是什麼樣的想法呢？

該怎麼說呢……就是比法律還要貼近根本的某個東西？

那些數字、定律、實驗，引領著世上的真理。

20幾歲的他，沉迷於有趣的數學與科學魅力，義無反顧地決定轉換跑道。

別把我也拉進去就好。

該是離開的時候了。

就這樣放棄你的學位跟優渥的工作，不覺得可惜嗎？

可惜的是我的潛能才對！

沒有與英國、德國、法國等地
活躍地進行研究的科學家交
流，他是以自學方式領悟所有
科學知識。

極具里程碑的亞佛加厥假說，在1811年被提出。

這篇樸實卻又宏觀的論文，發表在一份法國的科學刊物。

〈論述關於測定化合物中基本分子的相對質量，以及它們在化合物中的比例之方法〉

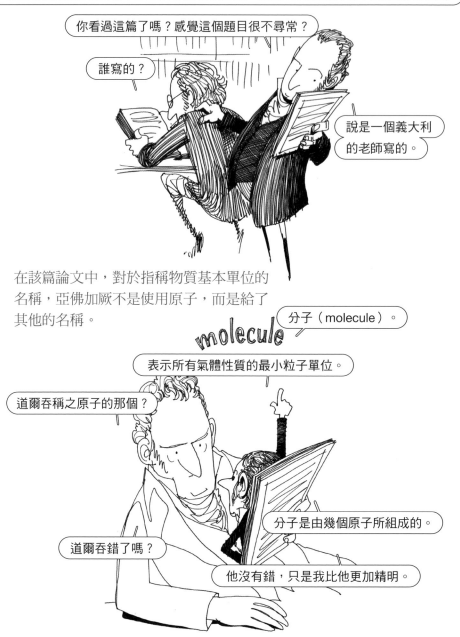

在該篇論文中，對於指稱物質基本單位的
名稱，亞佛加厥不是使用原子，而是給了
其他的名稱。

分子的概念，一次解決了道爾吞與給呂薩克長久以來的爭論。

用氫氣與氧氣反應後成水來舉例看看？

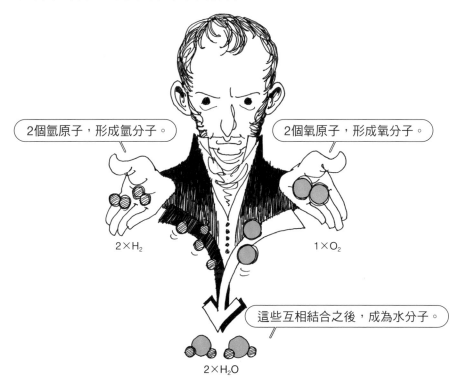

這麼一來，道爾吞的原子論，與給呂薩克的氣體反應定律都是正確的。

體積比是2：1：2的簡單整數比。

原子不會被分割。

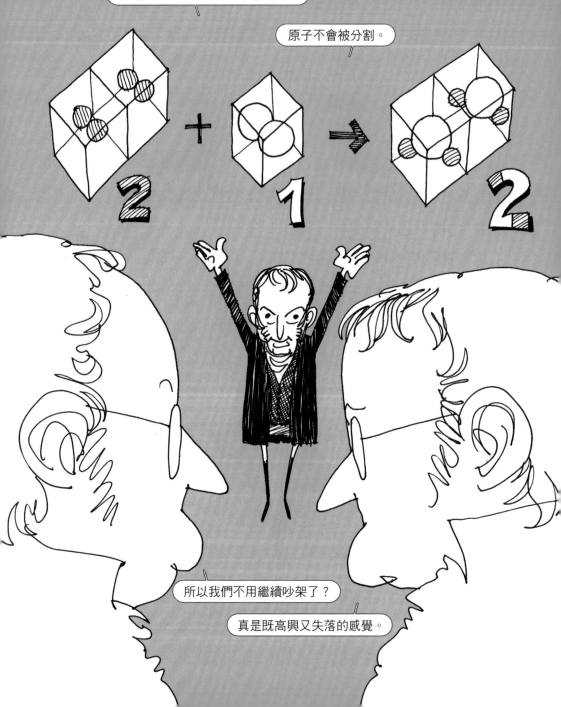

所以我們不用繼續吵架了？

真是既高興又失落的感覺。

怎麼可能一下子就停止爭吵？

但是，科學界並沒有爽快地接受亞佛加厥的解決對策。

我們又不是孩子，好歹也是科學家。

也許是因為當時的亞佛加厥並非皇家學會的會員，也不是任教於名校的大學教授，不過是一位偏僻鄉下的科學老師而已？

不過在我心裡，道爾吞與給呂薩克已經和解了。

我的假說，對於計算化學反應中的原子量與分子量很有幫助。

總之，依據亞佛加厥假說對於分子的定義，所有氣體不分種類，在相同溫度及壓力的情況下，相同體積內含有相同數量的粒子。

雖然他具有卓越的直覺與劃時代的想法，但因為分子這個陌生的概念，讓他的假說並未受到重視。

相同溫度、相同壓力，在相同體積中有相同數量的分子……

這是在說啥？

不知道，可能是內心的化合什麼之類的吧？

後來，在義大利科學家坎尼扎羅（Stanislao Cannizzaro）不斷地努力之下，亞佛加厥假說終於獲得科學界的認可。

進入20世紀之後，科學家們以縝密的研究與測量，計算質量內的粒子數量，得到了6.02×10^{23}的數值，並將表示這數量的單位稱為「莫耳（mol、mole）」。

6.02×10^{23}

為了紀念亞佛加厥的成就，我們就叫它「亞佛加厥數」吧。

molecule

莫耳（mole）是取自於分子（molecule）這個字嗎？

亞佛加厥在科學史上，為化學、物理學再次找到正確路徑，樹立了全新里程碑。

當然。

啊不然咧？

10

解開土地秘密的人

萊爾

查爾斯・萊爾 Charles Lyell (1797～1875)

英國地質學家。遊歷各國執行地質學研究後，統一說明地質現象，為近代地質學奠定基礎，被稱為地質學之父。

地質學在科學領域中，長久以來都受基督教權威所掌控。地
球的年齡、地層的生成、岩石的循環等近代的科學見解，都
是到了18世紀後半葉才開始確立地位。
地質學的歷史，是從1830年萊爾的著作《地質學原理》出版
後，才揭開了近代地質學的序幕。

17世紀中葉歐洲出版的《聖經》上，清楚地記載著地球的創始日期。

創始日：西元前4004年10月23日。

這是聖經本來就就記載的日期嗎？

不是，是有人計算出來的。

誰？

地球的年齡是6,000年，創造日就是西元前4,004年。

James Ussher

有用放射性定年法確定嗎？

只要有信仰，那些都是不必要的。

1654年，英國主教烏舍爾（James Ussher）對〈創世紀〉的內容逐條確認過之後，計算出地球的年齡。

這話如果被相信你的人聽到，你不會難為情嗎？

日心說都已經發表超過百年了，但地球與地質領域依然不在科學的關注行列中。

研究天體、力學、氣體都很好，但是不是也該關心一下土地呢？

我們是科學家？還是農夫？

1681年，英國神學家伯納特（Thomas Burnet）主張，地球的模樣是在很久以前瞬間被破壞的。

亞當與夏娃所居住的地球，並不是這樣坑坑疤疤的。

是嗎？

地球初創時，是一個完美又光滑的圓。

Thomas Burnet

那怎麼會變皺的？

TELLURIS Theoria Sacra

我只會告訴有做十一奉獻的人。

《地球神聖理論》，1681年。

伍德沃德（John Woodward）也提出，岩石的分層證明了大洪水是真實發生的事件。

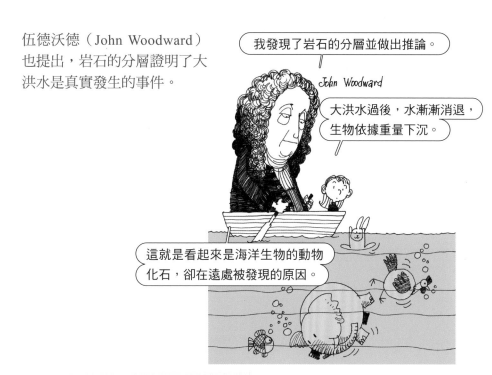

諸如此類擁護宗教權威的說法，在地質學衍生出災變論（catastrophism）及水成論（neptunism）。

說真的6,000年不會太短嗎？

地層因為大洪水而改變的這個說法，也太牽強了。

George-Louis Leclerc de Buffon

在18世紀，還是有少數有別於《聖經》系統的地球年齡推論意見被提出。法國啟蒙主義者布豐伯爵（Georges-Louis Leclerc de Buffon）主張，地球的年齡至少是7萬4,832年。

很久很久以前，太陽與彗星相撞後產生行星。

所以當時的地球相當炙熱。

喔！

經過很長一段時間的冷卻，變成現在的溫度。

哇哇！

如果假定這個鐵球跟地球一樣大，那麼要冷卻到現在的溫度，需要花上10萬696年。

你有冷卻過地球？

你不是說7萬年？

我有冷卻過其他東西。

就怕嚇到大家，所以我稍微減了一點點。

他計算燒紅的鐵球冷卻下來所需的時間，並依照大小比例推算。

與水成論者的想法相反，強調火才是變化主因的德馬雷斯特（Nicolas Desmarets）火成論（plutonism）也登場了。

Nicolas Desmarets

火山爆發與岩漿，是礦物形成的主因。

James Hutton

Abraham Gottlob Werner

接著到了18世紀後半葉，伴隨著意見完全相反的兩位傑出人物：赫頓（James Hutton）與維納（Abraham Gottlob Werner）的登場，地質學終於開始有了名副其實的實證科學樣貌。

地球不論是過去還是現在，都在持續變化中。

在巨大變化的前後，地球的模樣也改變了。

特別是赫頓，是確立近代地質學的不凡偉人。當時，他用比任何人都世俗的觀點去看地球。

在各地進行活躍地探險及觀察後，他發現了地層的不整合（uncomformity）。

地質的構造會這樣呈現不連續的狀態，證明了地層間經歷了各種長時間的不同作用。

海底的堆積物遭到壓縮，形成堆積層，

然後扭曲、隆起，變形，

在風化、侵蝕的過程中，岩石融化形成岩漿，

又再次堆積與隆起。

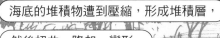

就是一次又一次的循環？

我們所熟知的岩石循環，也是以赫頓的發現與研究結果為基礎。

岩漿冷卻之後，形成火成岩（花崗岩、玄武岩、黑曜石等）。

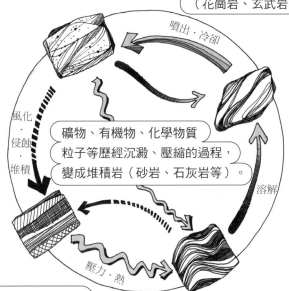

噴出．冷卻

風化．侵蝕．堆積

礦物、有機物、化學物質粒子等歷經沉澱、壓縮的過程，變成堆積岩（砂岩、石灰岩等）。

溶解

壓力．熱

所有種類的岩石，受到地殼運動的影響下變形，變成變質岩（片麻岩、大理岩等）。

現在就是過去的鑰匙！

他還留下「所有地質學的循環過程，現在也在持續進行中」的名言。

這個與災變論相反的意見，稱為均變論（uniformitarianism）。

這個名字是我取的？

1795年赫頓出版的《地球理論》，被認為是讓地質學突發猛進的著作，但在當時，並未受到應有的重視。

詹姆斯，你知道為什麼你的書不能成為暢銷書嗎？

John Playfair

為什麼？

Theory of the Earth

1. 難以閱讀。
2. 開始讀之後，覺得更難了。
3. 整個讀完後，還是覺得很難。

現在正是讓災變論集大成的最佳時機。

相較於接受新的地質學，知識社會比較喜歡較為熟悉的災變論說法。

為什麼？

再晚的話，災變論就無法大聲說話了。

已經走到盡頭了嗎？

維納也同樣關注著地層中混合分布的各種岩石與化石，不過卻與赫頓的觀點不同，他支持水成論。

要讓地層這樣雜亂地混在一起，應該與堆積順序無關，一定是發生了什麼大事件。

喔！

要可以讓海底突然隆起、突然堆積、突然被水沖過的大事件。

例如什麼呢？

威力強大的洪水？

在這個以災變說為主流學說的
時期，1827年時，一位律師投
身地質學領域。

我要辭去這段時間做得
心不在焉的律師工作。

那你要做什麼？

地質學。

是要挖地維生嗎？

我家很有錢。

莱爾雖然師從支持災變
論的巴克蘭（William
Buckland），但他的想法
卻漸漸變得不太一樣。

我越來越被赫頓的理論給吸引。

你是說那個不知道地球的歷史何時開始、
又無法預測何時會結束的無神論嗎？

那不是無神論，
我想稱之為均變論。

就是那個！

William Buckland

萊爾有個可讓《聖經》與均變論折衷的妙案。

神也創造了地球，同時也創造了均變論這個自然定律，這個說法如何？

太聰明了！

依據均變論，透過現在的情況，可以想像出過去地球變化的模樣。

今天，我們幾乎無法感覺到地球表面的變化對吧？

這是因為進行得極為緩慢。

過去也是這樣。

地層與化石絕非一瞬間就能形成。

作為19世紀的地質學家，萊爾將最完善的研究
結果都收錄到《地質學原理》套書中。

第一冊是關於地球表面與岩石的循環。

地層隆起與火山爆發後，經歷風化、侵蝕、堆積、岩石固化，然後再次反覆隆起的過程。

破！

基本上都遵循著赫頓的理論。

第二冊是關於生命體的漸進式變化。

經歷長時間的變化，可以推測在地球生活過的物種發生了怎樣的變化。

有沒有嗅到演化論的味道？

嗯。

第三冊是關於沉積層下的地層分類體系。

觀察並分析貝類化石所出現的物種。

這套《地質學原理》，不僅僅在地質學界，在一般大眾之間也大受歡迎。

這是人手一本的暢銷書。

你也買了那本書嗎？

大洪水就算了，可是否定災變說的話，不就沒有冰河期了嗎？

冰河期是漸進的變化啊。

那白堊紀的恐龍滅絕又該怎麼解釋？

所以只靠單一理論依然難以說明全部。

災變論自然而然地退出了地質學舞台，均變論成為主角。不過今天的地球科學中，是以這兩個理論相互補充。

您也買了那套書？

搭上小獵犬號，開始探險之旅的達爾文手上，也有著這套《地質學原理》。

11

想像的權利——爭議的起源

達爾文

查爾斯・達爾文 Charles Darwin (1809～1882)

英國生物學家、演化論者。他在《物種起源》一書中指出，
生物不是被分別創造的，而是依據天擇演化，確認了演化論
的基礎。

150年前出版的《物種起源》，至今仍然站在人類起源爭論的中心位置，若依據本書的內容，就連「種瓜得瓜、種豆得豆」的諺語都相形失色。

達爾文所主張的「天擇」概念，在根本上完全翻轉了過去物種是固定不變的想法。

1858年6月18日，達爾文收到博物學家華萊士（Alfred Russel Wallace）的來信後，大為震驚。

因為華萊士所寄來的論文，從過程到結論，幾乎都與自己的研究完全一致。

擔心自己過去20幾年的努力
可能會化為泡沫，達爾文很
焦急地向萊爾請求諮詢。

老師，我慢吞吞地成果可能要被搶先了，
這該怎麼辦才好？

我知道你老早就開始研究演化論
了，我來跟華萊士協調看看。

我好高興可以跟達爾文老師一起。

雖然你有先問過我，
這個舉動是好的，但說實話我不喜歡跟你一起。

幸好，經過其他科學家們的
仲裁協調，兩人得以共同發
表這份關於演化論的論文。

1858年，林奈學會

一年後，達爾文獨立出版了
綜合說明演化論的書籍。

不能再拖了。

為什麼這麼急？

我不能讓歷史上對演化論的記憶是「華
萊士與達爾文」的演化論。

既然要出書，以共著的方式
出版不是很好嗎……

演化論所有最基本的理論，都
在這本《物種起源》裡面。

ON

THE ORIGIN OF SPECIES

BY MEANS OF NATURAL SELECTION

我想都不敢想。

BY CHARLES DARWIN, M.A.,

不是因為我是醫生才這樣說，但我希望你也成為醫生。

出生在富裕的英國醫生世家，達爾文16歲時成為醫學系的學生。

父親的話聽起來有點前後不一致，不過我會去唸醫大的。

然而在愛丁堡醫學院的經驗，對他來說宛如惡夢。

切開身體、鮮血四射的外科手術，真的很不適合我。

那怎麼辦？現在又還沒有內視鏡跟腹腔鏡。

這樣我要改變主修了。

在父親的勸說之下，達爾文又在劍橋大學研讀了神學，但他對此仍舊興趣缺缺。

雖然我沒想要當牧師，但也還是唸畢業了！

這樣上學有什麼好玩的？

可以抓抓甲蟲什麼的，還算有趣啦。

查爾斯啊，你就這麼喜歡跑來跑去作野外採集啊？

John Stevens Henslow

是啊！就是喜歡！

唯一引發他熱情的，就是亨斯洛（John Stevens Henslow）教授的植物學課程。

查爾斯，有一個很適合你的工作，你想試試看嗎？

是什麼呢？

上船去吧！

亨斯洛教授從那時候就開始一路看著達爾文，1831年時，他向達爾文提出了改變達爾文一生的提議。

為了榮耀我大英帝國，要進行5年左右的航海行程，繪製南半球海岸線的地圖。

Robert FitzRoy

請問我的任務是什麼？

負責跟我聊天。

達爾文搭上了費茲羅伊（Robert FitzRoy）所駕駛的英國海軍艦船——小獵犬號。

因為我的關係，後世會一直記住船長跟這艘船的名字呢。

在航行的過程中，達爾文一直拿著萊爾的那套《地質學原理》。

那本書說地球經過很長久的時間、很緩慢地變化對嗎？

經過了那麼長的時間，生物都沒有變化嗎？

達爾文善用了跟著小獵犬號探險的機會，以生物學家的身分獲得許多經驗。

我在觀察各種類的化石與動植物，以及製作標本的過程中，親眼見證物種的多樣性。

你什麼時候要跟我聊天啊？

你不是演化論者，跟你說不通啦。

特別是加拉巴哥群島（Galápagos Islands），是擴展他思維想法的自然觀察寶庫。

Pinta

Isabela

Hood

棲息在不同島嶼的加拉巴哥象龜的龜殼圖案，都有些微的不同。

你一直盯著我看，是喜歡上我了嗎？

他也對那裡的鳥類仔細地觀察，其中觀察
雀鳥喙嘴的結果，令人驚訝。

自己的觀察研究，會撼
動長久以來的物種不變
性，達爾文那時一定是
這麼想的吧。

這是到目前為止，除了我之外，沒有任何人有
過的發現……

我會不會因此而遭遇什麼危險啊？

我帶著滿滿的擔憂回來了。

在結束航海行程回國之後，
他花費了許多時間及精力，
用心地收集資料來改正調整
自己的想法。

要能向世人揭示與《聖經》的創造論正面衝突的研究結果，沒有比找出證據更重要的事了。

若想讓我的假說被認可，我需要準備合理、清楚、有智慧的依據才行。

為了收集足以建立演化論體系的依據，他去找園藝家與動植物的養育者討論。

你們不是會改良品種嗎？

是啊，會選擇我想要的性質去做改良。

那就是人為選擇（artificial selection），對吧？

那麼在動植物之間，是不是也可能會有天擇（natural selection）呢？

你是個危險人物。

Georges Cuvier

居維葉（Georges Cuvier）說過，地球
因為遭遇突如其來的災難，導致某些
物種滅絕，且誕生了新的物種，對吧？

他也試著回想，從
開始接觸植物學以
來，所閱讀過的書
籍與論文。

Jean Baptiste Lamarck

拉馬克（Jean-Baptiste Lamarck）的
「獲得性遺傳」理論也早已廣為人知。

萊爾也推測，在地球的緩慢變化
之中，地球上的生命也會跟著有些變化。

然後，還有哪些呢？

Charles Lyell

讓達爾文靈光乍現想起的還
有一號人物，是英國的經濟
學家兼統計學家。

1798年寫下《人口論》的
馬爾薩斯（Thomas Malthus）。

真是太有趣了！

真的？

ThomasMalthus

如果沒有戰爭或傳染病等災難的話，人口數會增加到無法承受的地步。

馬爾薩斯的《人口論》討論了劇增的人口數超過有限的資源時，會發生的問題。

當人口數超過跟資源的死亡交叉點，就會出問題！

人口增加就會造成資源不足，然後會怎麼樣？

人類社會的競爭就會更加激烈對吧？

最後就是能夠適應環境的人才能生存下來。

而讓達爾文注意的是生存競爭的部分。

喔喔喔！

馬爾薩斯的理論，同樣
適用於自然界。

就是在某物種的眾多個體當中，只有具有可以好好適
應身處環境特質的個體，才得以生存下來的機制。

就像雀鳥的啄一樣？

這就是天擇！

達爾文最早發表版本的《物種起源》，全稱是《論處在生存競爭中的
物種之起源於自然選擇或者對偏好種族的保存》。

發生天擇的條件，是當具有特定遺傳性狀
的個體更有利於生存與配對之際。

聽到了吧？

所以我們要怎麼辦？

讓我們稍微轉換一下氣氛吧。

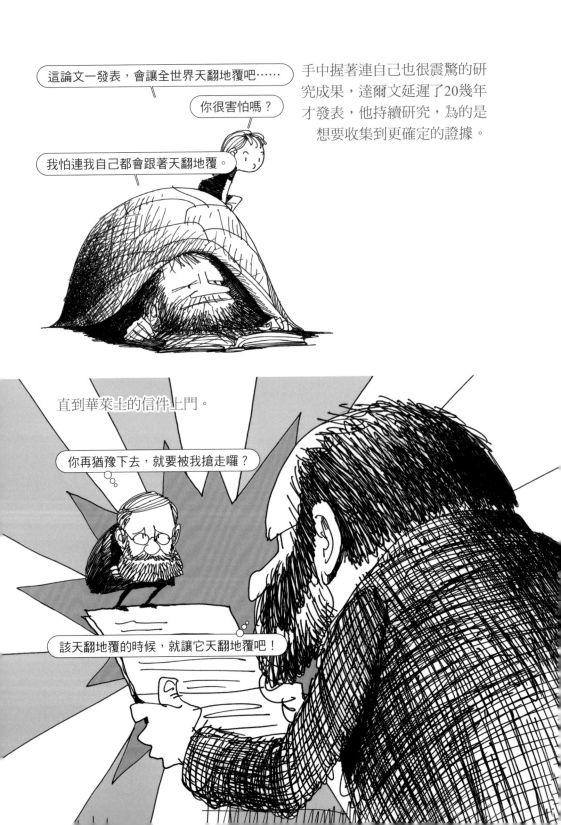

科學史上，記載著最奇特內容的《物種起源》，
一出版就熱賣。

你看過了嗎？

書裡說，在自然環境中，擁有比較
親切性狀的個體，較容易誕生與支配。

⋯

還說人類的祖先是生活
能力強、繁殖力好的猴子？

一定要將演化論視為創造論
的敵對理論嗎？

總之，達爾文是無神論者沒錯吧？

我本來不是無神論者唷。

我們都很清楚，由他所引發、
關於人類存在起源的爭議，一
直持續到今時今日。

正當達爾文致力於研究演化論的1851年之際，他最心愛的幼女病逝。喪女之痛，成為讓他逐漸削弱信仰的決定性關鍵。

1882年他去世後，被埋葬在倫敦西敏寺。

12

從統計得來的遺傳定律

孟德爾

格雷戈爾・孟德爾 Gregor Mendel(1822～1884)

奧地利植物學家兼神職人員，透過豌豆交配的實驗，發現遺傳的基本原理「孟德爾定律」。

人們從很早就知道，子女會長得像父母，但到19世紀為止，沒有人知道在這過程中有何種機制，也沒有人關心過。在達爾文的《物種起源》發表十餘年過後，奧地利的一位神父帶著這樣的疑問與執念進行了實驗，為遺傳學鋪設了墊腳石。

子女長得像父母本來就是天經地義的事情，這有什麼好爭論的？

爸爸，為什麼我的鼻子會長成這樣呢？

不要怪我。

那要怪誰？

怪這個世界的定律。

首度使用「遺傳學」這個用詞的人，是英國的貝特森（William Bateson）。

那是20世紀初了吧。

是大叔你嗎？

William Bateson

然而，科學甚至連這種事情都必須探究。在動植物世界，研究孩子如何延續父母這一代並長得相似的過程，被稱為遺傳學（genetics）。

古希臘的自然哲學家們僅能
籠統地推測，從父母那裡傳
下來的某種物質，是混在血
液裡面。

等你們生了小孩，馬上就會知道了。

為什麼不肯再講得更詳細些呢？

等你長大了就明白。

老師，你對可以支持演化論
的配對法則不感興趣嗎？

嗯嗯……

即使到了達爾文發表演化論時，
科學家們依然不太關心究竟是什
麼樣的性狀用什麼方式遺傳的。

我發現在子女與父母
變得相似的過程中，是有規則的！

我也是！

你也是？

Hugo de Vries

Tschermak von Seysenegg

Karl Correns

終於在1900年，荷蘭的德
弗里斯（Hugo de Vries）、
奧地利的切爾馬克（Erich
Tschermak von Seysenegg）
和德國的科倫斯（Carl
Erich Correns）這三位科學
家，各自在不同的遺傳性狀
繼承研究中獲得成果。

我們之中，誰是第一
個發現者？

反正不是你。

對於是誰最先發現了這意義非凡的遺傳定律，這三位科學家並未發生太大的爭執。

我從一開始就沒有要讓給你的意思！

彼此彼此。

但是，讓給他我願意。

在過去這段時間，完全沒有人注意到的一篇論文。

〈植物雜交實驗〉，1866年

因為，他們所做的一切，包含實驗結果，早在30年前就已經有人發表過了。

你也看了那篇論文？

我論文都寫完之後才看到的。

大家都差不多呢。

被三位科學家一致推舉為首
位發現遺傳定律的這個人。

就是於16年前逝世的孟德爾。

孟德爾的身分並不是科學家，而是奧地利一間修道院的神父。但是，他擁有不輸給任何科學家的非凡才能與縝密的實驗精神。

所以他的論文，並沒有廣泛流傳於科學界嗎？

在當時的科學界，應該有點看輕神父吧？

話說，我們在這本書裡出現了滿多次耶？

據說他自小就學習能力出眾。

因為家裡貧窮，所以也沒能上大學對吧。

所以才進入修道院啊。

不用付錢就可以學習的地方就是這裡了呀。

修道士中也有很優秀的老師。

也可以進行很多樣主題的討論。

對於博物學、植物學、農業很感興趣的我來說，沒有比這裡更棒的地方了吧。

伯諾的奧古斯丁修道院，不但是最適合孟德爾的學習殿堂，同時也建有很大的植物園。

因為修道院長的勸說，所以去留學的。

雖然沒有拿到學位，但從那裡習得的所有學問，都成為我主要實驗的基礎。

29歲時，他去維也納大學學習了物理學、數學、化學等多樣領域的學問。

孟德爾從1856年起，開始認真地致力於取得那些自己好奇的事物的實證結果。

為了要找出生物的相似定律，現在開始要執行大量的交配！

不要用老鼠那一類的動物做實驗。

我打算用豌豆。

豆子嗎？好喔。

爾後廣為人知的「孟德爾定律」，自此開啟了長期抗戰的偉大實驗。

這是一場長達8年的實驗。

如果沒有一定的毅力，真是想都不敢想的嘗試。

不過還好是用豌豆。

修道院變成豌豆田了。

請多吃些豆子吧，對身體也很好喔。

孟德爾在取得豌豆實驗結果為止，總共使用了約 2 萬8,000株豌豆，並仔細觀察了其中的1萬2,835株。

孟德爾選擇豌豆為實驗材料，有什
麼特別的科學考量嗎？

首先它很常見，價格又便宜，

容易種植，且一次就可收穫很多。

從種植到收成，所花費的時間也比較短。

讓表現出明確不同性狀的豌豆交配，
不是比較容易觀察其後代會長成什麼嗎？

此外，最重要的是，沒有比
豌豆更適合作為找出明顯對
立性狀的實驗材料。

對立性狀？

把長這樣的東西，跟長那樣的東西交配，
就可以觀察到他們的後代長什麼樣子。

孟德爾種植了7種具有明顯對立
性狀的豌豆，並觀察它們。

可以清楚區別的綠色跟黃色。

圓的和皺的。

高的跟矮的。

開出紅花或白花等等。

首先需要做的是，找出具
對應性狀的純種豆。

例如，只擁有圓形遺傳性狀的圓形豆，
及只擁有皺摺遺傳性狀的皺褶豆。

要怎麼知道是不是純種豆？

用純粹的心去尋找就可以。

所謂的「純種」，是指後代
與父母具有相同性狀。

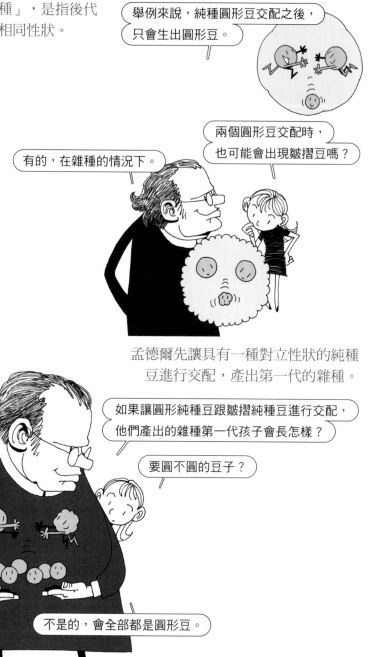

舉例來說，純種圓形豆交配之後，
只會生出圓形豆。

兩個圓形豆交配時，
也可能會出現皺摺豆嗎？

有的，在雜種的情況下。

孟德爾先讓具有一種對立性狀的純種
豆進行交配，產出第一代的雜種。

如果讓圓形純種豆跟皺摺純種豆進行交配，
他們產出的雜種第一代孩子會長怎樣？

要圓不圓的豆子？

不是的，會全部都是圓形豆。

接下來，則嘗試讓雜種第
一代互相自花授粉。

如果讓雜種的圓形豆跟圓形豆交配的話？

也會出現圓形豆吧？

不，所產出的圓形豆跟皺摺豆的比例為3：1。

根據實驗結果所獲得的數據，孟
德爾建立了一個重要的假說。

個體具有一對遺傳性狀。

然後，遺傳性狀中有一個是顯性，
另一個則是隱性。在雜種（Rr）的情況時，
會表現出的性狀（R）為顯性，
不會表現出的性狀（r）為隱性。

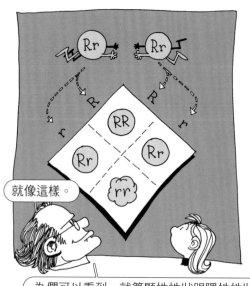

將這些內容圖示出來，就能清楚看出一對遺傳性狀是以什麼方式遺傳給下一代。

就像這樣。

為們可以看到，就算顯性性狀跟隱性性狀成為一對，最終只會表現出顯性的性狀。

讓圓形黃色豆（RRYY）與皺摺綠色豆（rryy）交配。

會出現什麼呢？

舉例來說？

下一個階段，就是用兩種複合性狀的豌豆進行相同的實驗。

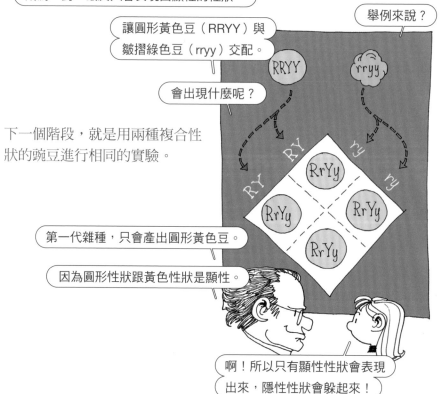

第一代雜種，只會產出圓形黃色豆。

因為圓形性狀跟黃色性狀是顯性。

啊！所以只有顯性性狀會表現出來，隱性性狀會躲起來！

雜種第一代與親代自花授粉，所產出的雜種第二代比例也能得出來。依據這個實驗結果，孟德爾發現的第一個定律，就是關於顯性與隱性。

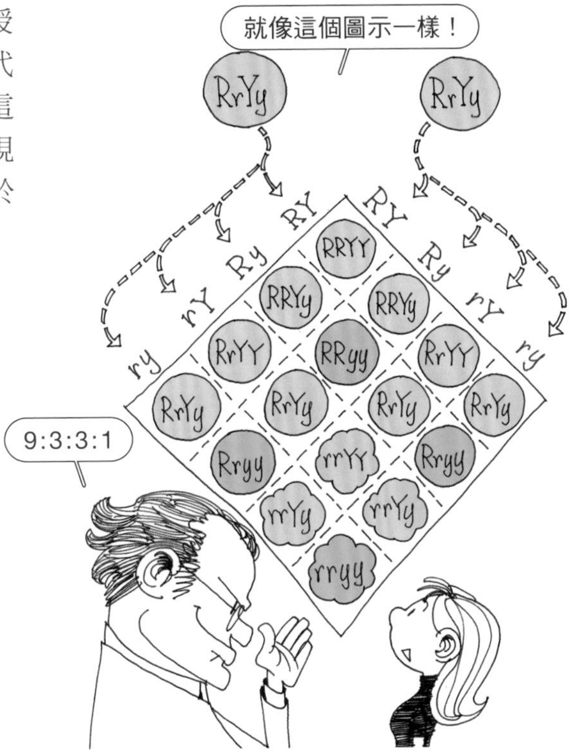

就像這個圖示一樣！

RrYy　RrYy

	RY	Ry	rY	ry
RY	RRYY	RRYy	RrYY	RrYy
Ry	RRYy	RRyy	RrYy	Rryy
rY	RrYY	RrYy	rrYY	rrYy
ry	RrYy	Rryy	rrYy	rryy

9:3:3:1

純種交配時，雜種第一代表現出來的為顯性性狀。

圓形的、黃色的等等。

RrYy　Rr　Yy　RrYy　Rryy　RrYy　rrYy

遺傳性狀是由親代各自提供一個性狀。

第二個定律是成對的遺傳性狀會分離。

此時，隱性性狀會被顯性性狀覆蓋，而潛藏起來。

我雖然是圓的，但我體內藏有皺摺性狀。

圓形性狀、皺摺性狀，以及黃色性狀、綠色性狀。

遺傳表現的過程，是各自獨立的。

第三個定律是，擁有兩種遺傳性狀的個體進行交配時，性狀對立的一對，會互相獨立地產生遺傳。

1866年，孟德爾終於發表他長年下來的
研究心血以及帶著高度期望的論文。

〈植物雜交實驗〉

撲通撲通……

撲通撲通……

撲通撲通……

沒有任何人關注我的論文。

就連達爾文老師都要看不看的。

然而，卻沒有人關心
這件事情。

在那之後，孟德爾就再也沒有進行遺傳相關的實驗，以修道院院長身分直到離世。孟德爾的遺傳定律是重要的遺傳學基石、今日的生命科學之花，卻是直到發表30年後，才終於因為那三位科學家，重新獲得矚目。

13

所有人的恩人

巴斯德

路易·巴斯德 Louis Pasteur（1822～1895）

法國化學家兼微生物學家。透過發酵與腐敗的研究，確認腐敗是由於空氣中的微生物所引起，並證明生物只會是從生物發展而來。

出生於平凡法國家庭的巴斯德是名化學系教授，他畢生觀察、研究微生物，揭露了疾病傳染的原因出在微生物，為了預防與治療，開發出免疫治療。

在很久很久以前，人們深信，生物
是沒有經過生殖過程自然誕生的。

這是誰說的？

亞里斯多德。

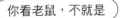

你看老鼠，不就是
突然從某個地方跑出來的不是嗎？

牠的父母一定在某個地方。

你有看過嗎？

把肉就這樣放著，在腐爛的過
程中就會產生微生物不是嗎？

那是因為有飛來的微
生物孢子繁殖了吧。

「自然發生說」在科學界持續了
一段很長的時間，關於微生物的
產生，直到19世紀後半葉都一直
是爭論的重點。

1745年，英國博物學家尼德漢（John Needham）以煮沸的肉湯放置於常溫數天後所產生的微生物，主張此為自然發生說的證據。

即使用熱殺菌了，還是會產生微生物？

你看，明明就沒有。

1768年，義大利生理學家斯帕蘭札尼（Lazzaro Spallanzani）以隔絕外部空氣的方式進行煮沸肉湯的實驗，結果並沒有產生微生物，於是提出反駁。

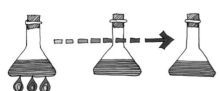

沒有空氣，就不會產生微生物。

不過，自然發生說的支持者主張，空氣是讓微生物成長的養分或能量。

1860年，有人出面終止了這場爭辯，他是巴黎高等師範學校的教授。

我一定要讓你們看到，就算有空氣，也不會產生微生物。

請問貴姓大名？

為了將空氣與微生物分開，他研發出一款模樣獨特的燒瓶，又稱「鵝頸瓶」，不密封直接擱置，卻沒有產生微生物。

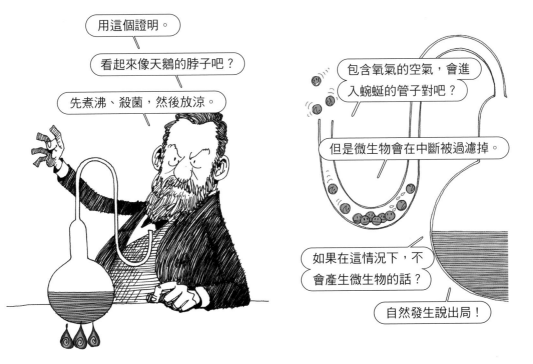

用這個證明。

看起來像天鵝的脖子吧？

先煮沸、殺菌，然後放涼。

包含氧氣的空氣，會進入蜿蜓的管子對吧？

但是微生物會在中斷被過濾掉。

如果在這情況下，不會產生微生物的話？

自然發生說出局！

接下來，將燒瓶傾放，讓肉湯可以碰到微生物，肉湯馬上就腐敗了。

空氣中充滿著微生物。

哇～是肉湯耶。

結論是不論多小的微生物，都不會自然產生。

我確立了微生物學的基礎。

自然發生說就此消沉，而證明生物產生於生物的人，就是巴斯德。

您該不會也創立了牛奶公司？

確定了不光是腐敗及發酵，傳染病發生的原因也是微生物。

而他對於微生物的研究，也直接導致了疾病治療方法的新發現。

咳咳！

1873年，在法國某處村落的養雞場，霍亂蔓延。

巴斯德老師，你有沒有什麼辦法？

總之先採集霍亂病菌，培養看看吧。

培養之後要做什麼呢？

做實驗啊？

倒★

巴斯德在短暫休假回來後，
發現放置的雞霍亂培養菌已
經弱化了。

喂，帶幾隻沒有染上霍亂的雞過來吧。

為何？想要吃白斬雞嗎？

想幫牠們注射已經變弱的霍亂菌。

你要把好好的雞弄死？

乖，不要動。

會有點痛，不過馬上就好了。

在反覆進行注射及觀察
之後，發現接種過的雞
都產生了免疫力。

咕咕呱！

你還好吧？現在試著注射活跳跳的霍亂菌。

咕咕！

如何？沒被感染了吧？

或許，在巴斯德發現疾病預防治療方法之際，想起了詹納（Edward Jenner）。詹納是第一位開發出天花的預防接種法並施行的人，在當時，天花的致死率高達80%。

第一步已經由詹納老師在18世紀踏出。

誰是詹納？

妳不知道種痘法？

不過其實第一步是在西元前10世紀的中國。

那麼久之前？

當時使用的是，染了天花卻沒有死的輕度病患皮膚上的瘡疤。

怎麼使用？

Edward Jenner

好像是先放入密閉瓶中，放置一個月左右，然後取出磨成粉，放進鼻子裡？

把天花帶給好好的人？
如果死掉怎麼辦？

如果沒有死，就再也不會得天花了。

真是毫無備案的民間療法。

詹納發現，感染了由牛隻罹患的天花——也就是牛痘的人，會意外地獲得免疫。

那個村子裡擠牛奶的婦女們，都不會怕天花。

為什麼？

好像是得過牛痘的人，之後就什麼都不怕了吧。

來～我要注射牛痘囉。

如果死掉怎麼辦？

只會發點燒而已，沒關係的。

你百分之百確定嗎？

醫學是沒有百分之百的。

將從感染牛痘患者的水皰所取出的膿水，大膽地給健康的人接種的方法，出現了成效。

詹納的種痘法叫做
「vaccination」，
是取自拉丁文的牛
「vacca」。

你知道疫苗（vaccine）
這個名字是怎麼來的嗎？

解決了雞霍亂之後，巴
斯德下一個要面對的是
炭疽病。

老師老師！炭疽病讓我們的牛羊都集體死亡了。

在發現了從染病死亡的羊血液中發現的細菌，就是造成炭疽病的原因，他接下來進行公開的實驗。

實驗相當成功，然後他又把眼光轉向狂犬病身上。

巴斯德發現，如果人被感染狂犬病的狗咬傷，病毒會透過唾液傳染，對腦部造成致命的損傷。

老師，你想要拿這隻瘋狗做什麼？

我想取一點牠的唾液。

呃呃嗯……

1885年的某天，有位母親帶著她被狂犬病狗咬了的孩子，找上巴斯德。

老師，請救救我的孩子。

那就請史無前例地一次治好吧！

但我還沒有用在人身上過……

巴斯德陷入前所未有的苦惱之中，不過還是為那孩子注射了疫苗。

孩子啊，不要發抖。

我怎麼覺得老師您更抖啊。

活下來了！活下來了！！

老師，您怎麼還在發抖啊。

我這是太開心的發抖！

然後，那個孩子痊癒了。

老師，疫苗終於也可以用在人身上，預防疾病了，那麼您現在想要做什麼呢？

做什麼？當然是繼續走該走的路。

走去哪呢？

已經被咬的人，也能痊癒，這是因為狂犬病的潛伏期很長，所以疫苗才會有效。

我要在巴黎設立巴斯德研究所。

因為巴斯德的狂犬病疫苗而活下來的那個孩子，在巴斯德研究所做了45年的警衛。

這是我欠老師的。

我只是做了我該做的事情。

今天，我們的生命受到保護，有一部分原因是許多疾病能夠事前預防，這功勞或許就是來自於他執著於深入挖掘研究微生物與疾病的關係。

14

首尾相接的蛇

凱庫勒

奧古斯丁·凱庫勒 August Kekulé (1829～1896)

德國有機化學家。他從有機物的化學反應中，發現了碳分子所扮演的重要角色，並且找出了過往無人可以想像的苯環結構。

苯是在1825年首度被法拉第發現後，長時間下來讓科學家們陷入苦惱的物質。苯的化學式是C_6H_6，可卻沒有一個科學家知道如何畫出它的結構。而解開碳水化合物的難關——苯的秘密的人，正是原本專攻建築學，爾後沉迷於化學魅力的凱庫勒。

1803年道爾呑提出原子論後，化學領域的研究變得更加活躍。

科學家們發現新的元素，也提出
關於氣體構成比例的理論。

緊接著，還有原子結合方式的研究。

1852年英國化學家弗蘭克蘭（Edward Frankland）
提出「原子價」的概念。

以水為例，是由原子價2的氧氣，與原子價1的氫氣相結合的。

不過，研究化學結合的科學家們，發現了碳的特別之處。

以碳為基礎，結合氫、氧、氮、磷等許多元素的物質被稱為為碳水化合物，碳水化合物非常多樣，可以是甲烷一般的簡單結合，也可以是像蛋白質這種高分子化合物的複雜結合。

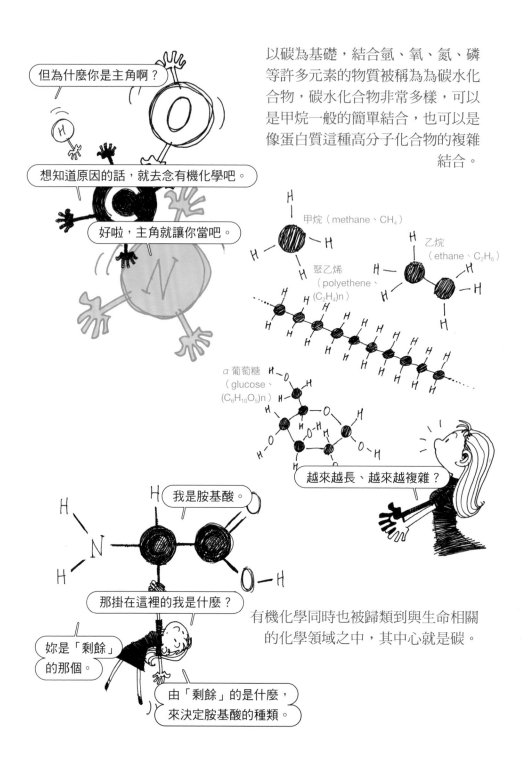

有機化學同時也被歸類到與生命相關的化學領域之中，其中心就是碳。

雖然兩人有過相同的煩惱、下了相同的決定。

1858年，對於研究碳水化合物構成方式的庫柏（Archibald Scott Couper）與凱庫勒來說，是決定命運的一年。

Archibald Scott Couper

但我快了一步。

出生於德國達姆城的凱庫勒，原本主修建築學。

大學時因為醉心於化學課，進而改變主修。

換了主修，也沒做出什麼特別的事吧？

等著瞧！

拿到博士學位後，原本研究有機化合物的凱庫勒，轉而對乙烷產生興趣，經過一番鑽研思考，最後他終於能夠想像出碳水化合物的結合結構。

C_2H_6

2個碳原子的結合線總共8條。

但原子價1的氫原子，不是只有6條嗎？

它們到底是怎麼結合的啊？

碳原子會自行結合，

與其他原子結合，成為鏈狀分子。

模樣不錯看哼。

這是用上了之前主修建築的經驗嗎？

不過，幾乎是同一個時期，英國的庫柏也有相似的研究結果。當時，庫柏請自己在巴黎工作的實驗室教授伍茲（Charles -Adolphe Wurtz）協助發表論文。

碳的原子價永遠為4，並且會自行結合，

然後與其他原子結合，形成鏈狀結構。

在德國也有人說了同樣的話耶？

那得趕快發表了！

教授，我們必須儘快向法國科學會發表這份卓越到足以令人驚豔的論文。

正是因為太過於卓越，會驚嚇到許多人，所以還是要等一下比較好。

凱庫勒搶先一步。

〈化合物的構造與碳的化學本性〉

那位德國朋友先發表了呢。

真是痛徹心扉。

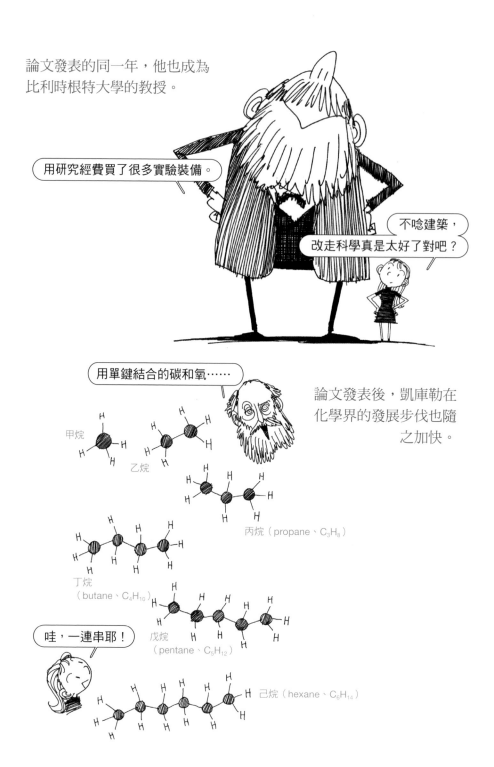

論文發表的同一年，他也成為比利時根特大學的教授。

用研究經費買了很多實驗裝備。

不唸建築，改走科學真是太好了對吧？

用單鍵結合的碳和氧……

論文發表後，凱庫勒在化學界的發展步伐也隨之加快。

甲烷

乙烷

丙烷（propane、C_3H_8）

丁烷（butane、C_4H_{10}）

戊烷（pentane、C_5H_{12}）

哇，一連串耶！

己烷（hexane、C_6H_{14}）

許多碳化合物的結構就此解謎。

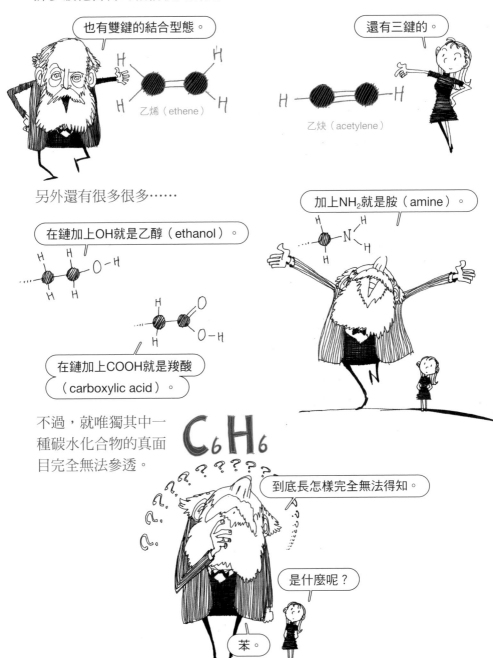

也有雙鍵的結合型態。

乙烯（ethene）

還有三鍵的。

乙炔（acetylene）

另外還有很多很多……

在鏈加上OH就是乙醇（ethanol）。

加上NH_2就是胺（amine）。

在鏈加上COOH就是羧酸
（carboxylic acid）。

不過，就唯獨其中一
種碳水化合物的真面
目完全無法參透。

C_6H_6

到底長怎樣完全無法得知。

是什麼呢？

苯。

苯（benzene、C_6H_6）是無色、易燃、帶有香味等特徵的物質，也被稱作benzol。

1825年，法拉第從用鯨魚油做成的可燃性氣體中發現。

Michael Faraday

1845年，德國科學家霍夫曼（August Wilhelm von Hofmann）從煤焦油（coal tar）萃取出來，並為其命名。

August Wilhelm von Hofmann

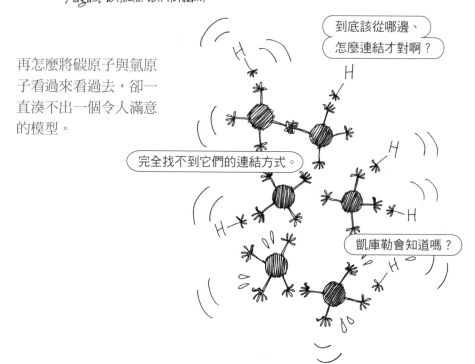

再怎麼將碳原子與氫原子看過來看過去，卻一直湊不出一個令人滿意的模型。

到底該從哪邊、怎麼連結才對啊？

完全找不到它們的連結方式。

凱庫勒會知道嗎？

凱庫勒也埋首於這個問題之中，但也被難倒。

我也被搞混了。

運用建築學的思維也無法想像嗎？

當真的無法想像出來的時候，果然就是要……

什麼？

睡一覺。

不過1865年的某一天，他做了一個給他靈感的夢。

凱庫勒在夢中，看見一條蛇咬著自己的尾巴轉。

蛇！是蛇!!

跟古代神話中出現的銜尾蛇（ouroboros）一樣。

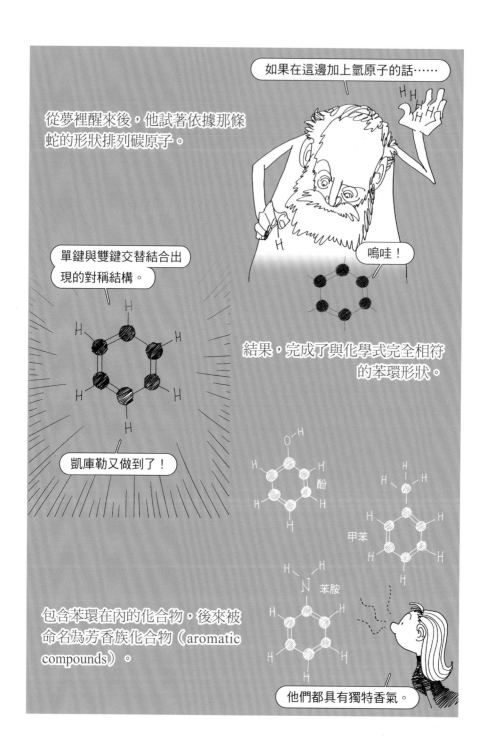

如果在這邊加上氫原子的話……

從夢裡醒來後，他試著依據那條蛇的形狀排列碳原子。

單鍵與雙鍵交替結合出現的對稱結構。

嗚哇！

結果，完成了與化學式完全相符的苯環形狀。

凱庫勒又做到了！

酚

甲苯

苯胺

包含苯環在內的化合物，後來被命名為芳香族化合物（aromatic compounds）。

他們都具有獨特香氣。

他還發現，依據物質在環上的位置改變，會產生不同性質的芳香族化合物。

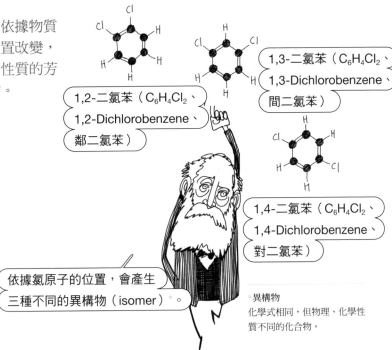

1,2-二氯苯（$C_6H_4Cl_2$、1,2-Dichlorobenzene、鄰二氯苯）

1,3-二氯苯（$C_6H_4Cl_2$、1,3-Dichlorobenzene、間二氯苯）

1,4-二氯苯（$C_6H_4Cl_2$、1,4-Dichlorobenzene、對二氯苯）

依據氯原子的位置，會產生三種不同的異構物（isomer）＊。

※異構物
化學式相同，但物理、化學性質不同的化合物。

1867年起，凱庫勒來到德國波昂大學，直到他離世，都專心致力於栽培後進。

老師，想成為卓越的科學家，該怎麼做呢？

好好做夢。

諾貝爾化學家創立後，前五位得獎者中，就有三位是凱庫勒的弟子。

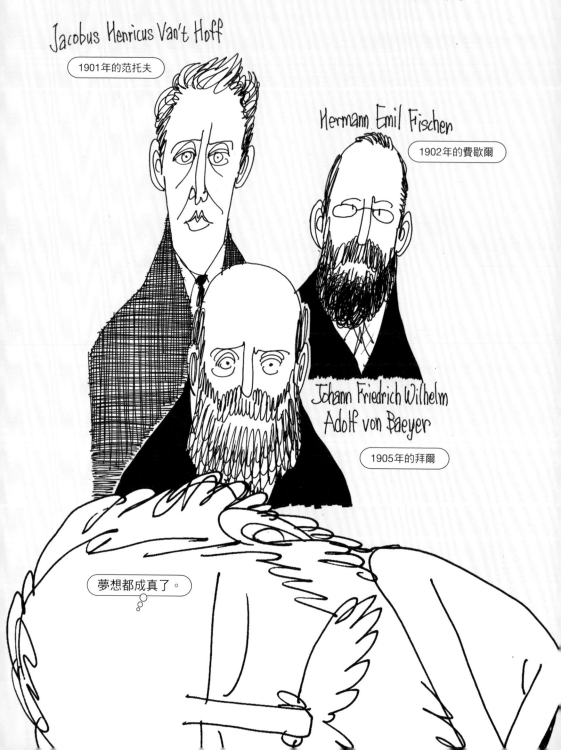

15

美麗元素的管弦樂團

門得列夫

德米特里‧門得列夫 Dmitrii Mendeleev（1834～1907）

俄國化學家，依據原子量找出原子的排列規則，發表了元素
週期表。週期表對於預測新物質的性質，以及理解原子的構
造，提供了相當大的幫助。

今天，在任何一間科學實驗室的牆面上，必定都還緊緊貼著元素週期表——它提供了理解化學的基本知識，可說是現代科學的指南針。而製作出這週期表、揭示出元素規則的人，就是出身俄羅斯的門得列夫。

1934年，在俄羅斯東西伯利亞的一個小村落，誕生了一位改變往後化學歷史的孩子。

由於母親對於教育的重視與支持，所以孩子自小就是位優等生，13歲時父親過世，而母親經營的玻璃工廠又發生火災，接連遭受極大的傷痛。

但是，少年才進入大學，就又
承受了失去母親的痛苦。因為
感受到逝去母親的無私奉獻，
少年也改變了自己的心態。

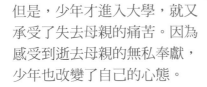

我一定要成為科學家，
報答母親的恩惠！

帶著悲壯的領悟發奮圖強念書，他以第一名的成績自
大學畢業。先在鄉間中學擔任了一陣子的教師，為了
更遠大的夢想，他接著出國留學。

我去了法國跟德國留學。

GERMANY

FRANCE

1865年，他回到母校聖彼得堡
大學擔任化學教授，正式投入
研究工作。

那個留著長髮又蓄鬍，
模樣很不凡的人是誰啊？

那是新到任的門得列夫教授。

要怎麼才能
將這些分門別類呢？

林奈將生物進行分門別類，
我們化學家也要加油才行。

當時化學家們主要關心的，
是元素的分類與週期特性。

相似的性質好像會
週期性的重複著。

氯（Cl）、溴（Br）、碘（I）。

鋰（Li）、鈉（Na）、鉀（K）。

鈣（Ca）、鍶（Sr）、鋇（Ba）。

Johann Wolfgang Döbereiner

磷（P）、砷（As）、銻（Sb）。

硫（S）、硒（Se）、碲（Te）。

德國的德貝萊納（Johann
Wolfgang Döbereiner），首先
嘗試將具有相同性質的元素歸
類在一起。

這樣三個三個歸在
一起，哈哈哈。

這是怎麼決定的？

就不知不覺這樣分起來了，哈哈哈。

1862年法國地質學家德尚寇特斯（Alexandre-Emile Beguyer de Chancourtois），以螺旋方式將原子們排列成圓柱狀。

1864年，英國的紐蘭茲（John Newlands）也發表了「八度律（law of octaves）」。

門得列夫也確信，元素們根據原子量以某種規則排列，他很認真縝密地進行觀察。

我要用心研究，一定要成功才行。
母親在天上看著我！

他在牆壁貼上一張張卡片，上面記載著元素名稱與其主要特性，認真執著地鑽研其中。

鈉（Na）與鉀（K），和水會產生激烈反應。

氯（Cl）、氟（F）、溴（Br）會與鈉（Na）與鉀（K）以1：1的比例結合。

碳（C）與矽（Si）會與兩個氧結合。

經過他的苦思及研究，終於完成了一份令他滿意的表。

教授，您這樣日以繼夜努力不懈，終於完成了。

這當中我還做了一個夢。

什麼夢？

我夢到跟母親一起玩卡片遊戲。

1869年，門得列夫發表的週期表令人驚嘆。

首先呢，相似的性質會週期性地出現。

像這樣以縱軸方向成一組。

這個順序與元素們的原子價相對應。

還修正了幾個元素的原子量，幫它們找回自己的位置。

但他還有更驚人之舉。

門得列夫的週期表中，還有幾個他沒有找到適當元素可放的空格，但那絕不是元素表的缺陷。

eka-boron

暫定名稱為類硼（eka-boron）、類鋁（eka-aluminum）、類錳（eka-manganese）、類矽（eka-silicon）等等。

eka-aluminum

eka-manganese

eka是梵語中1的意思。

eka-silicon

預言了原子量與密度等性質。

他認為，將來的某天必定會發現可以填入這些空格的元素，並給這些元素先取了假名。

部分科學家譴責他的預言相當荒謬。

你真的是科學家嗎？

怎麼可以擅自決定還沒有發現的元素的性質？

時光流逝，結果那些空格都被填滿了。1879年，瑞典的尼爾松（Lars Fredrik Nilson）發現了鈧（Sc）。

就是門得列夫預言的類硼。

21　44.956
Sc
scandium

我發現了鎵（Ga）！

取自法國的古拉丁文名稱「高盧（Gallia）」。

不過我第一次計算時，密度是4.7g/cm³，可是門得列夫預言的密度是5.91g/cm³。

類鋁元素，則是1875年由法國的德布瓦博德蘭（Lecoq de Boisbaudran）所發現。

預言錯了嗎？

我將它命名為鍺（Ge、germanium），是取自德國的拉丁文名稱「日耳曼尼亞（Germania）」。

再重新計算一次發現，預言是對的！

那它的性質呢？

1886年，德國的溫克勒（Clemens Alexander Winkler）從類矽中成功分離出新元素。

就跟門得列夫的預言一樣。

事情發展至此，科學家們開始忙著尋找預言中的類錳。

先找到的人就是擁有者！

我找到了！名稱叫做lucium。

1896年・法國・Barrière

那個是不純的釔（Y）。

1908年・日本・小川正孝

找到了！名字是nipponium。

才不是咧！

找到了！是masurium！

1925年・德國・諾達克

別說笑了！

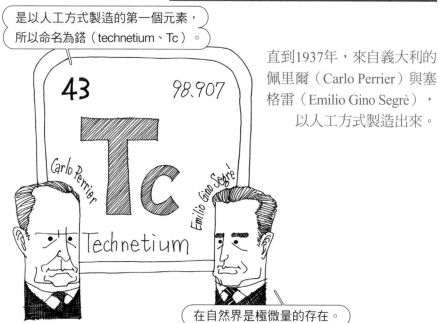

是以人工方式製造的第一個元素，所以命名為鎝（technetium、Tc）。

43　98.907

Tc

Carlo Perrier

Emilio Gino Segrè

Technetium

直到1937年，來自義大利的佩里爾（Carlo Perrier）與塞格雷（Emilio Gino Segrè），以人工方式製造出來。

在自然界是極微量的存在。

當然，他當時做出來的週期表並非完美。

科學哪有百分之百的？

既然都提到這個了，就來指正其中一項吧。老師您說碲（Te）的原子量是介於123與126之間對吧？

你很清楚嘛。

然後呢？

實際上碲的原子量是127.6，比126.9的碘（I）還高。

那是科學家們難以察覺的。

怎麼說？

因為它們幾乎不會與其他元素產生反應，且是以單原子分子的狀態存在。

依據原子量訂定的週期表順序，搞錯了碲（Te）與碘（I）的順序，並且也沒有為當時完全不為人知的惰性氣體先空出位置。

爾後，惰性氣體元素們被發現。

1894年發現氬（Ar）。

1898年，蘇格蘭化學家拉姆齊（William Ramsay）發現了氖（Ne）、氪（Kr）、氙（Xe）。

William Ramsay

這下可以被放在教科書的最前面了吧？

放在最後面如何？

1902年，門得列夫修正並提出了包含18族的元素週期表。

門得列夫製作出元素週期表，讓人們得以掌握元素的性質、理解原子結構。他於1907年以73歲高齡走完其一生，葬於母親的旁邊。

母親，我是不是做得很棒？

1955年，第101個元素發現時，科學家們為了紀念門得列夫的貢獻，該元素就以他的名字命名。

鍆（mendelevium、Md）。

16

離子鍵

貝吉里斯與阿瑞尼士

永斯・雅各布・貝吉里斯 Jöns Jacob Berzelius (1779～1848)

瑞典化學家，主張以相反電荷的元素之間的靜電引力製造化合物的理論。

斯凡特・阿瑞尼士 Svante Arrhenius (1859～1927)

瑞典化學家，發現就算不加以電壓，溶液中也可能存在離子。

為了說明原子之間的力量，科學家們從19世紀開始，對化學結合產生興趣。貝吉里斯提出了分子是如何製造出來的解答，他認為正離子與負離子結合時，會製造出各種各樣的分子。這個想法經歷了法拉第，透過阿瑞尼士再一次產生了對離子化的理解。

化學最有趣迷人的理由之一，就是
原子間無窮無盡的結合。

你說化學很有趣？？

只要沒有考試的話。

在自然的狀態下，幾乎所有的元素
都是由原子結合而成的化合物。

OXYGEN

氧氣不是原子嗎？

氧氣是O_2，是由兩個氧原子結合而成的分子。

從氫氣、氧氣這種簡單的氣體，到蛋白質這類高分子化合物，化合物相當多樣。

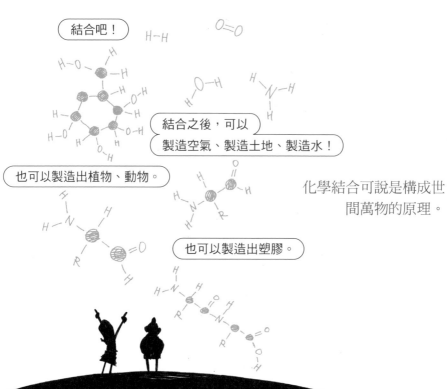

化學結合可說是構成世間萬物的原理。

原子相互結合的理由，與人
生而在世的道理有些相似。

因為寂寞？

因為一個人會害怕？

因為不安？

因為獨自並非安定的狀態。

我猜對了吧？

化學也沒什麼兩樣。

可是，原子為什麼不安呢？

為了幫助大家理解，先來看看原子結構吧。

道爾吞模型

湯姆森模型

為了說明原子構造，
科學家們不斷地進化模型的發展。

用這個來說明化學結合，非常適合。

拉塞福模型

波耳模型

現代模型

原子是由包含了質子與中子的原子核，以及排列在原子核周圍軌道上的電子所組成。

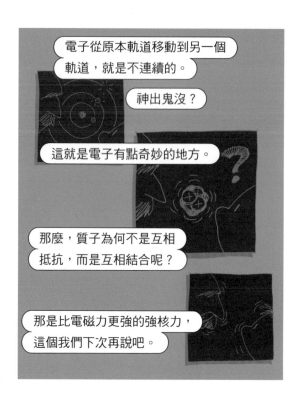

電子從原本軌道移動到另一個軌道，就是不連續的。

神出鬼沒？

這就是電子有點奇妙的地方。

那麼，質子為何不是互相抵抗，而是互相結合呢？

那是比電磁力更強的強核力，這個我們下次再說吧。

能階又是什麼？

那個下次說吧，現在要先說化學結合……

electron shell

總是這樣……

在化學中，會使用「電子殼層」這個用語，來表示電子所在位置的能階。

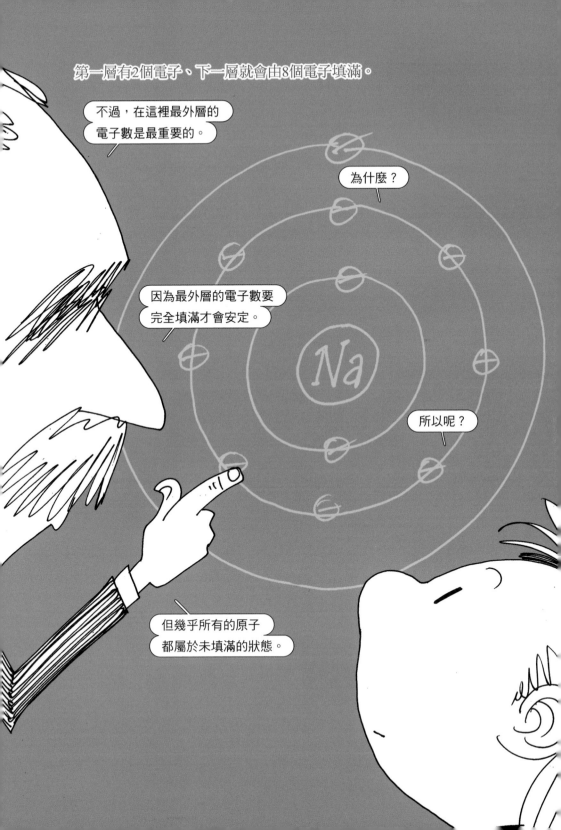

除了週期表18族以外的元素原子，
最外層的電子數都不到8個。

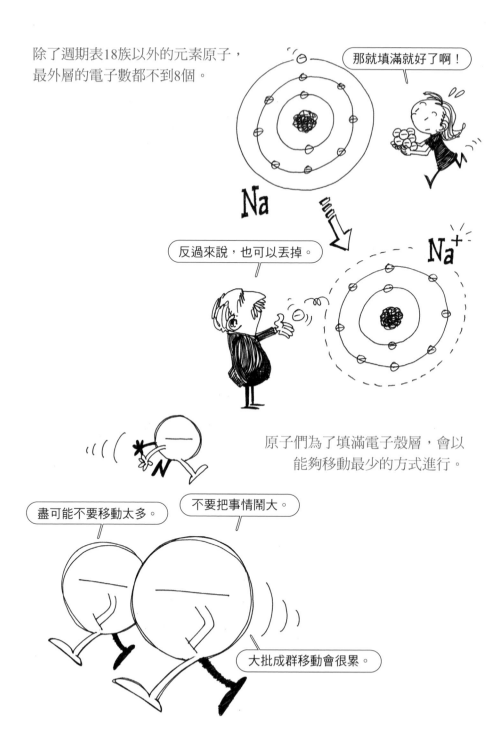

那就填滿就好了啊！

Na

反過來說，也可以丟掉。

Na⁺

原子們為了填滿電子殼層，會以
能夠移動最少的方式進行。

盡可能不要移動太多。

不要把事情鬧大。

大批成群移動會很累。

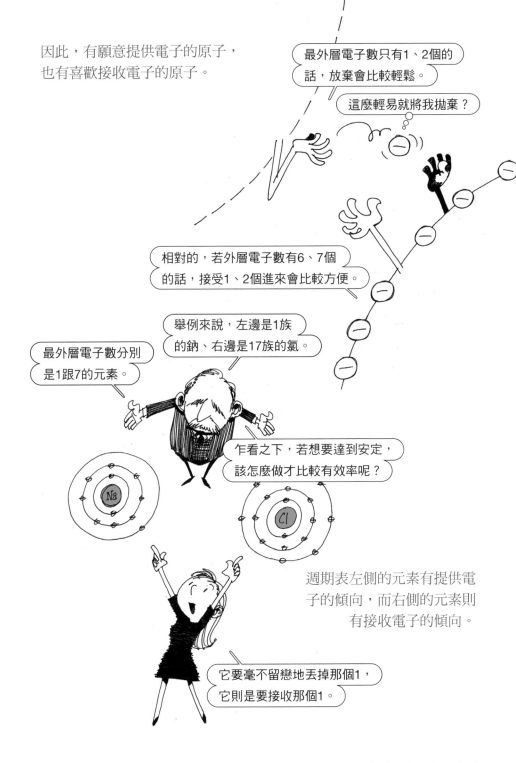

因此，有願意提供電子的原子，也有喜歡接收電子的原子。

最外層電子數只有1、2個的話，放棄會比較輕鬆。

這麼輕易就將我拋棄？

相對的，若外層電子數有6、7個的話，接受1、2個進來會比較方便。

舉例來說，左邊是1族的鈉、右邊是17族的氯。

最外層電子數分別是1跟7的元素。

乍看之下，若想要達到安定，該怎麼做才比較有效率呢？

週期表左側的元素有提供電子的傾向，而右側的元素則有接收電子的傾向。

它要毫不留戀地丟掉那個1，它則是要接收那個1。

像這樣將最外層電子數填滿的化學物種（chemical species）*，稱為離子。

化學物種：
物質形成的單位，如原子、分子、離子等。

捨棄了一個電子的鈉離子。

Na⁺

與獲得一個電子的氯離子。

Cl⁻

當原子成為離子，自然就帶有電的性質對吧？

質子數與電子數不同了？

沒錯，是一種帶電離子。
鈉離子帶正電荷、氯離子帶負電荷。

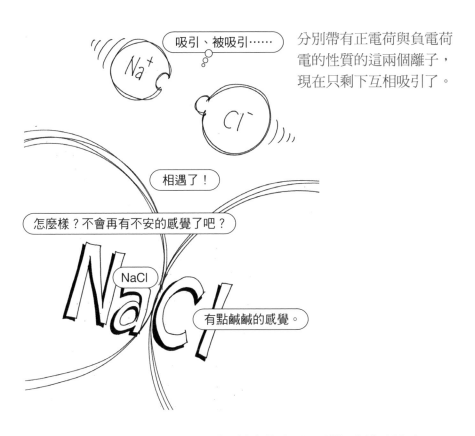

分別帶有正電荷與負電荷電的性質的這兩個離子，現在只剩下互相吸引了。

像這樣，因為正負離子相互吸引而結合的力量，稱為「離子鍵（ionic bond）」。

ionic bond

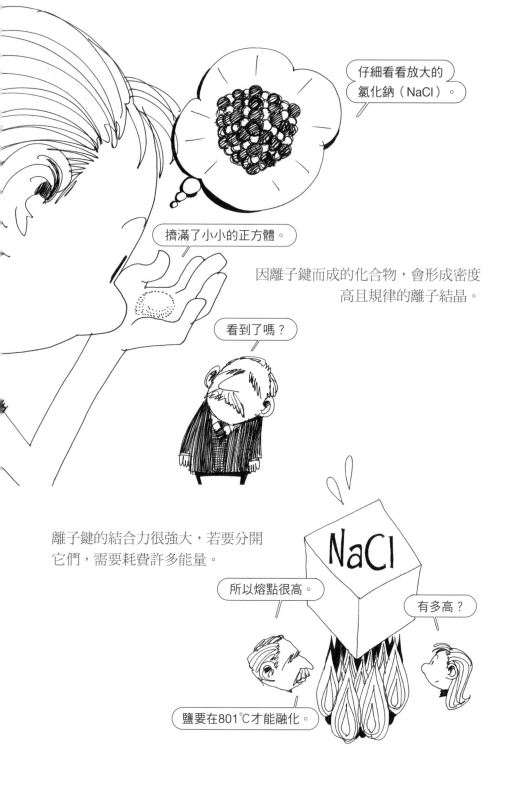

仔細看看放大的氯化鈉（NaCl）。

擠滿了小小的正方體。

因離子鍵而成的化合物，會形成密度高且規律的離子結晶。

看到了嗎？

離子鍵的結合力很強大，若要分開它們，需要耗費許多能量。

所以熔點很高。

有多高？

鹽要在801℃才能融化。

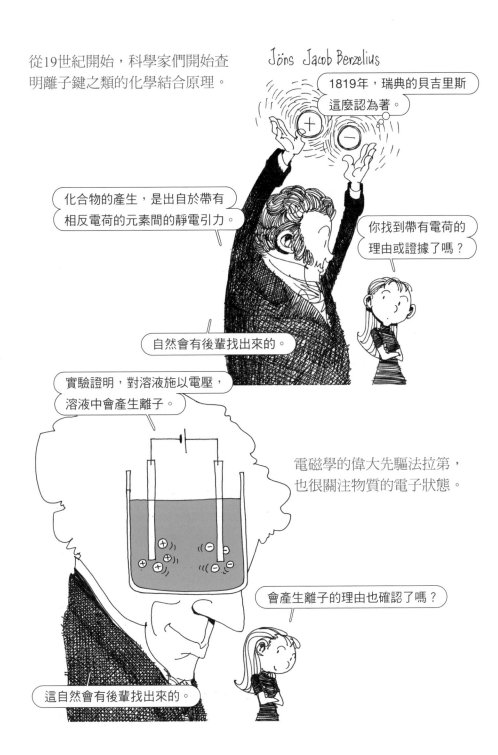

從19世紀開始，科學家們開始查明離子鍵之類的化學結合原理。

Jöns Jacob Berzelius

1819年，瑞典的貝吉里斯這麼認為著。

化合物的產生，是出自於帶有相反電荷的元素間的靜電引力。

你找到帶有電荷的理由或證據了嗎？

自然會有後輩找出來的。

實驗證明，對溶液施以電壓，溶液中會產生離子。

電磁學的偉大先驅法拉第，也很關注物質的電子狀態。

會產生離子的理由也確認了嗎？

這自然會有後輩找出來的。

阿瑞尼士將貝吉里斯及法拉第的理論更往前推進。

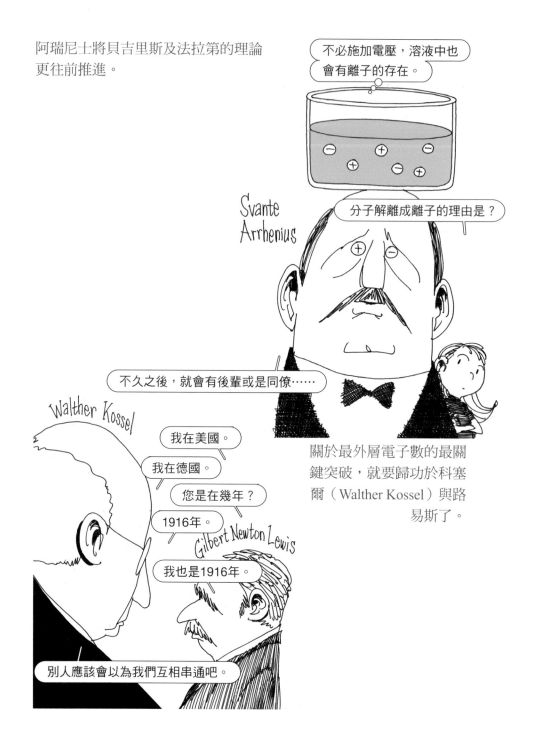

關於最外層電子數的最關鍵突破，就要歸功於科塞爾（Walther Kossel）與路易斯了。

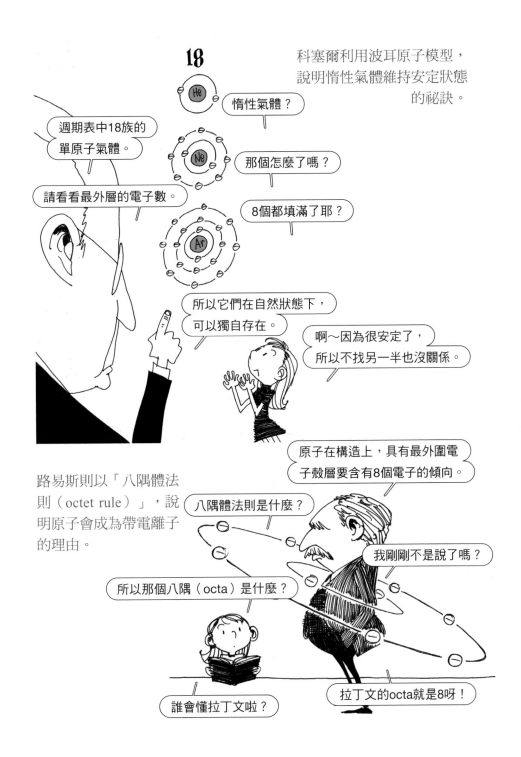

不過就算解謎了離子鍵，
不代表所有的化學結合問
題也可同步解開。

因為化學結合不只有離子鍵。

17
共價鍵
路易斯

吉爾伯特・牛頓・路易斯 Gilbert Newton Lewis (1875〜1946)

美國物理化學家。將八隅體法則、電子對結合理論等概念導入化學
鍵中，並發表了共用電子的共價鍵概念。

週期表的族（group），代表著該原子最外層電子殼層的電子數。大多數原子在最外層電子數為8時，會轉趨安定，這一化學規則稱作「八隅體法則」。

發現八隅體法則的美國物理學家路易斯，於1916年以電子共有的「共價鍵」說明了原子間的結合。

原子傾向於填滿最外層的8個電子，才會趨於穩定（第一個電子層有2個電子）。

依據這個原理，科學家們解決了一個關於化學結合的問題，不過還是有其他問題未解。

因為適用於八隅體法則的化學結合，並不是只有離子鍵。

他們的相遇不能用離子結合來解釋。

不能就當成是浪漫的相遇嗎？

科學不可以這樣。

為什麼？

這樣論文就會變成文學了。

接收2個電子，變成氧離子，轉趨安定。

學得不錯喔！

可以挑戰諾貝爾化學獎了！

氧氣在週期表是屬於16族，若是依循八隅體法則會如何呢？

別一直說什麼諾貝爾獎啦。

然而同樣的氧離子之間，
並不會互相吸引。

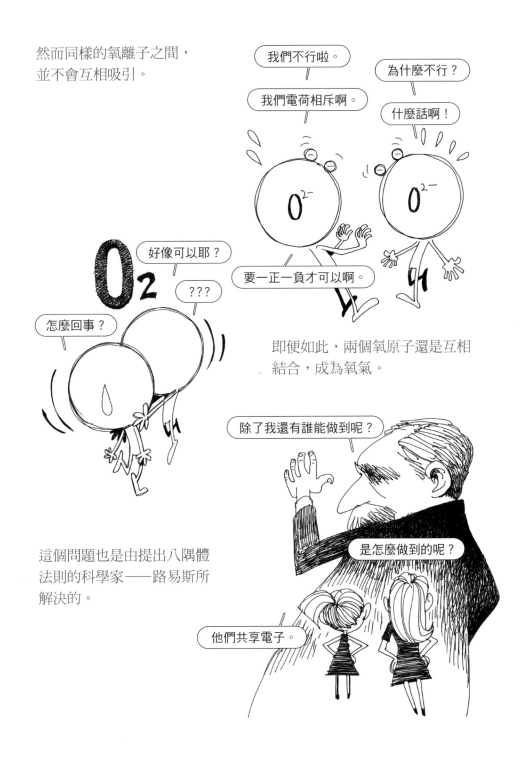

即便如此，兩個氧原子還是互相
結合，成為氧氣。

這個問題也是由提出八隅體
法則的科學家──路易斯所
解決的。

這個電子共享的方式，被稱為「共價鍵（covalent bond）」。

最外層有6個電子的氧原子，需要從某處帶回兩個電子才可以安定，自己一人時電子數量是不夠的，但只要互相結合共同擁有的話，就沒問題了。

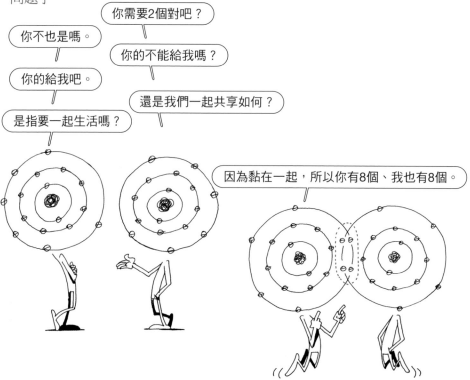

從氣體到有機化合物等眾多的化學結合，都能用共價鍵說明。

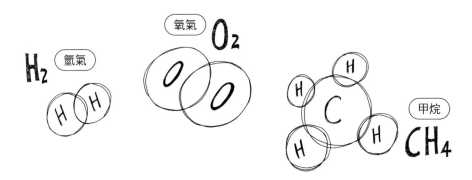

路易斯的共價鍵概念，於1916年發表。

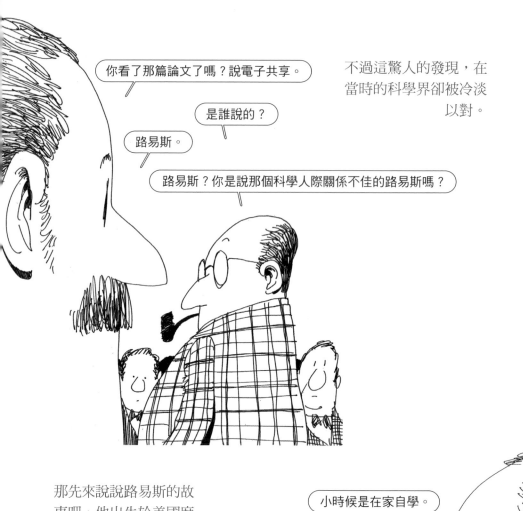

你看了那篇論文了嗎？說電子共享。

是誰說的？

路易斯。

路易斯？你是說那個科學人際關係不佳的路易斯嗎？

不過這驚人的發現，在當時的科學界卻被冷淡以對。

那先來說說路易斯的故事吧，他出生於美國麻薩諸塞州。

小時候是在家自學。

到何時？

到14歲為止。

除了共價鍵電子對模型，
他還在熱力學、酸鹼理
論、氘化合物等研究留下
許多成就。

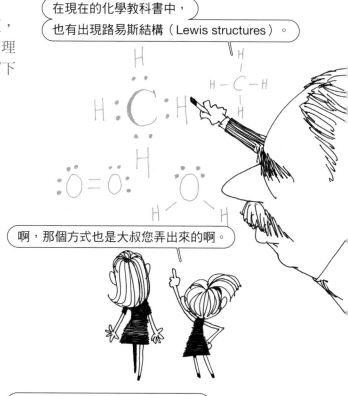

在現在的化學教科書中，
也有出現路易斯結構（Lewis structures）。

啊，那個方式也是大叔您弄出來的啊。

學生中獲得諾貝爾獎的人也很多。

他也是一位偉大的化學家，
讓自己任職的加州大學柏克
萊分校的化學學院，朝世界
頂尖之列推進。

那大叔呢？

不是說不要提諾貝爾獎嗎？

是你先說的啊。

不過他跟自己的指導教授、前輩、同事之間的關係卻很糟糕。

是正在氣頭上的路易斯。

只要對方不認同自己，他就會一直帶著這個情緒，不願解開。

到什麼時候？

到對方也懷恨在心為止。

你有看到路易斯寫了抓到你實驗小辮子的文章嗎？

這兩天的事嗎？

可能因為如此，發表共價鍵理論時，恐怕也沒幾個友好的科學家出來擁護。

科學也會帶有情緒嗎？

出乎意料的，科學史上這種情況還不少。

科學家們為何要這樣？

科學家們也是人啊。

有去聽過朗繆爾的課嗎？他真的好會說。

朗繆爾將路易斯的理論稍作補充之後，開始宣傳原子結合理論。

馬上就聽懂了。

雖然是以路易斯的論文為基本，不過課程整個完全不一樣。

因為喜歡他，所以讓那篇論文也變得不一樣了。

因為有了朗繆爾特有的口才及親和力，這堂課讓路易斯的理論，跟著受到極大的讚賞。

這該要謝謝朗繆爾先生吧？

剛開始我也很開心，原本被忽視的理論開始受到矚目。

然而漸漸地，朗繆爾比自己更受關注的情況，讓路易斯開始感到不滿，並且持續累積不滿。

在科學界的人際關係越來越惡化，最終導致路易斯被孤立。雖然獲得40幾次的諾貝爾獎提名，卻從未得到過諾貝爾獎，反而是他的學生們不斷地獲得諾貝爾獎，甚至於連朗繆爾也得到諾貝爾獎肯定。最終，他在研究室中落寞地結束他的一生。

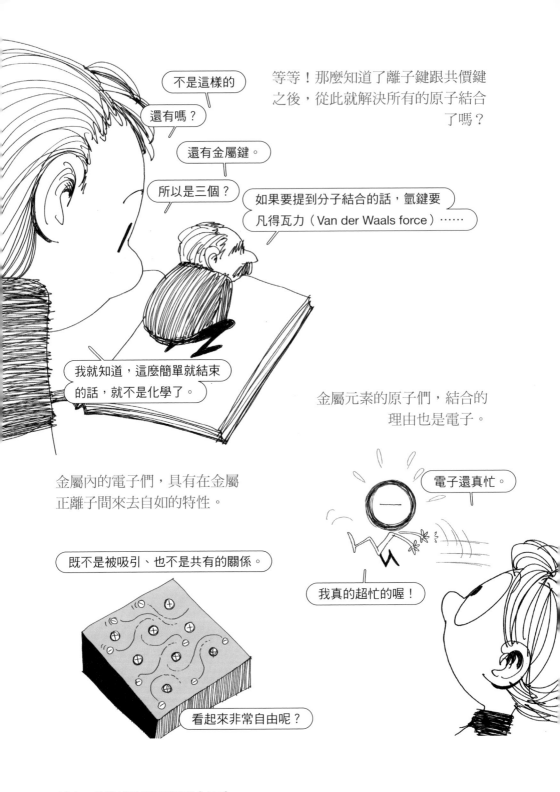

等等！那麼知道了離子鍵跟共價鍵之後，從此就解決所有的原子結合了嗎？

不是這樣的

還有嗎？

還有金屬鍵。

所以是三個？

如果要提到分子結合的話，氫鍵要凡得瓦力（Van der Waals force）……

我就知道，這麼簡單就結束的話，就不是化學了。

金屬元素的原子們，結合的理由也是電子。

金屬內的電子們，具有在金屬正離子間來去自如的特性。

電子還真忙。

既不是被吸引、也不是共有的關係。

我真的超忙的喔！

看起來非常自由呢？

所以當許多金屬元素原子聚集之後，電子們會在周圍隨意亂竄，成為電子海。

所以原子核都是正電荷？

是吧？因為是質子跟中子。

不過因為被電子包圍，所以不會散開對吧。

電子也擔任安撫的角色呢。

因為電子圍繞著原子核，所以原子核之間不會互相抵抗，而是維持結合狀態，形成結晶構造。經由金屬鍵形成的金屬可以導電。

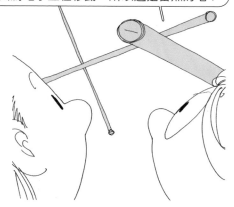

所以，對金屬施力時，它只會延展或扭曲，很少會有斷裂的情況。

那是因為就算用錘子敲打，原子之間依然維持著結合狀態。

電子們依然圍繞著。

化學結合，是解開化合物祕密的關鍵鑰匙，同時也是決定物質狀態與性質的原理。

可是啊，我再次出現一個小小疑問。

什麼疑問？

電子這傢伙的真面目。

妳開始有科學家的資質囉？

當然囉。

18

生命的設計圖——DNA

羅莎琳・富蘭克林

蘿莎琳・富蘭克林 Rosalind Franklin (1920～1958)

英國生物物理學家,在X射線晶體學領域具有傑出的實力。
經由DNA的X射線照片拍攝,對解開DNA分子結構之謎起了
決定性的重要作用。

1962年的諾貝爾生理醫學獎，頒給了解開DNA結構的三位科學家——華生（James Watson）、克里克（Francis Crick）及威爾金斯（Marice Wikins）——直到那時，DNA被推測是含有生命體遺傳資訊的物質。

不過，找出DNA模型關鍵證據的女性科學家，已經在幾年前因為癌症離世，而無法一同接受這座諾貝爾獎。她的名字是羅莎琳·富蘭克林。

20世紀的科學，特別是在生命科學領域，
最優秀的成就應該非DNA莫屬。

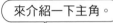

隨著DNA的全面研究，生命
科學——特別是遺傳學，有了
飛躍性的發展。

DNA是含有遺傳資訊的物質，
如今已是眾所皆知的事實，它完
整地維繫著所有生命物種，並使
其發揮各自的特性。

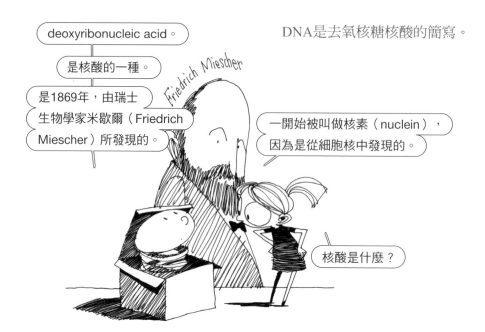

deoxyribonucleic acid。

是核酸的一種。

是1869年，由瑞士生物學家米歇爾（Friedrich Miescher）所發現的。

DNA是去氧核糖核酸的簡寫。

一開始被叫做核素（nuclein），因為是從細胞核中發現的。

核酸是什麼？

核 酸 是 由 核 苷 酸（nucleotide）組成的長鏈狀高分子有機物。

核苷酸又是什麼？

是核酸的構成單位，由糖（sugar）、磷酸基（phospate）和鹽基（base）構成。

糖就是我們吃的糖嗎？

是的，用化學說明的話，就是氧、氫、碳組成的碳水化合物。

製造核苷酸的糖有兩種。

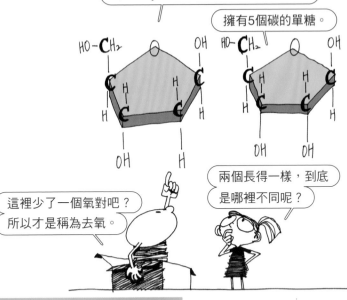

擁有五碳醣（pentose）的去氧核糖（deoxyribose）與核糖（ribose）。

擁有5個碳的單糖。

這裡少了一個氧對吧？所以才是稱為去氧。

兩個長得一樣，到底是哪裡不同呢？

糖與磷酸基交替結合，形成長鏈。

鹽基也出現在這裡。

鹽基就是鹼嗎？

對喔，適用於DNA的鹽基有四種。

是哪些？

分別是腺嘌呤（adenine）、鳥嘌呤（guanine）、胞嘧啶（cytosine）、胸腺嘧啶（thymine），晚點再詳細說明。

所以，帶有去氧核糖的
核酸稱為DNA。

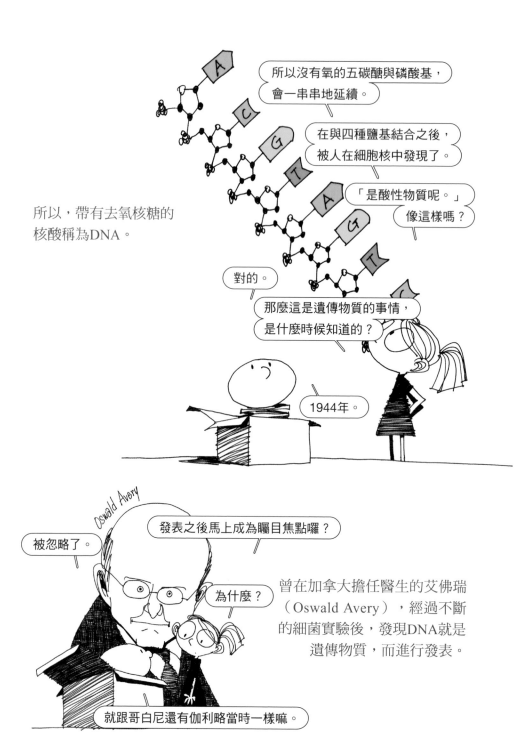

在艾佛瑞的實驗結果，透過更多調查實驗獲得確證之時，美國生化學者查加夫（Erwin Chargaff）發現了一個重要的定律。

從各種生物細胞中提取DNA，並且定量觀察。

觀察出什麼了嗎？

在四種鹽基中，A（腺嘌呤）與T（胸腺嘧啶），G（鳥嘌呤）與C（胞嘧啶）總是等量存在。

將DNA視為遺傳物質已經是趨勢了。

好好做研究的話，說不定可以拿到諾貝爾獎？

是啊。

自此DNA的研究瞬間急速發展。

它到底長怎樣呢？

如果我們能想出它的模樣，一定就能拿到諾貝爾。

科學家們的下一個課題，就是找出DNA的結構。

先吃飯再繼續吧。

當時，處於競爭關係的代表性科學家研究團隊有三。

已經拿過諾貝爾化學獎的鮑林（Linus Pauling）。

倫敦國王學院的
羅莎琳・富蘭克林與威爾金斯。

還有劍橋大學卡文迪許實驗室
的華生與克里克。

最先出線的是鮑林，他首先發表
DNA是以三螺旋構成的論文。

這是我的科學生涯中的最大的失誤。

不過我還是拿到兩座諾貝爾獎。

化學獎跟？

和平獎。

糖、磷酸基、鹽基會呈現螺
旋鏈狀，這是很明確的。

但不是三重，好像也不是
單一螺旋。

那麼還剩下什麼可能呢？

雖然鮑林的理論以不夠成熟告
終，但他所提出的理論中，關
於DNA是螺旋結構的說法，
得到其他科學家的共鳴。

在此同時，華生與克立克將糖與磷酸基連結的骨架內側，以鹽基連結核苷酸鏈做出模型。他們當時是從「查加夫法則」獲得靈感。

他們直覺認為，A 與 T，以及 G 與 C 各自成對。

此外，還有一個讓他們可以
確信的實證結果。

那是一張照片。

是羅莎琳‧富蘭克林最近以
X射線繞射法拍下的DNA結
晶構造的照片。

就在富蘭克林認為該謹慎為
之的同時，卻發生了讓她想
像不到的荒謬事。

是同一個研究室中，平時與富蘭克林關係
不佳的威爾金斯的大膽作為。

威爾金斯帶著照片，找上在卡文迪許實驗室的華生。

看到51號照片的華生十分震驚。

1953年！

MOLECULAR STRUCTURE OF NUCLEIC ACIDS

僅僅兩頁的論文。

A Structure for Deoxyribose Nucleic Acid

〈核酸的分子結構：去氧核糖核酸的結構〉

他們認為沒有必要等待，馬上在學術期刊《自然（Nature）》上發表了。

想到應該可以拿到諾貝爾獎，我連喝茶都會喝醉。

我也是！

DNA的秘密終於被解開，而華生、克拉克、威爾金斯也於1962年獲得諾貝爾獎。

富蘭克林直至離世為止都獻
身於科學，但她卻因為癌症
而於37歲病逝。

如果1962年時她還活著的話，應該可以一同拿到諾貝爾獎吧？

不知道耶。

後來，華生親自撰寫了關於發現DNA結構的故事，在該著作《雙螺旋》的增補版後記中，也不得不提及富蘭克林的貢獻。

當我們理解到，
像她那樣才智過人的女性，
身處科學世界中需要面對多少搏鬥，也為時已晚。
不僅如此，在得知自己身染不治之症，
生命可能只剩數週時間，
她依然沒有一句怨言地投入在研究之中，
這份熱情與勇氣，而我們終究也太晚才明白。

DOUBLE HELIX

　　剛進小學的兒子，有一天在他的圖畫讀書紀錄本上，出現了骷髏與骨頭。

　　他在吃烤全雞吃到一半時，突然想到，為什麼人的骨頭比雞多。

　　我說人的骨頭一開始大約有400根，成人之後大約是200根左右。但雞的骨頭的話就不清楚了，也沒辦法教他。

　　（老實說，我到現在我還是不知道。）

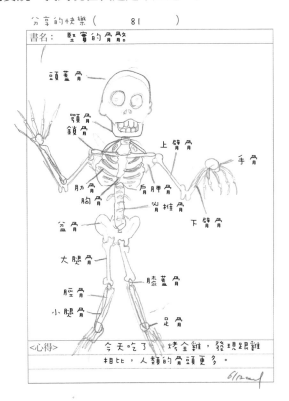

人類與雞
2017.6.9　9歲的律

本書登場人物及其主要事件

第1冊
第2冊
第3冊

1514~1564
維薩留斯

1543年出版《人體的構造》出版

1578~1657
哈維

1628年整理血液循環理論，出版《關於動物心臟與血液運動的解剖研究》

1627~1691
波以耳

1660年創立皇家學會
1662年發現波以耳定律

1544~1603
吉爾伯特

1546~1601
第谷

1561~1626
培根

1564~1642
伽利略

1571~1630
克卜勒

1596~1650
笛卡兒

1602~1686
格里克

1608~1647
托里切利

1622~1703
維維亞尼

1625~1712
卡西尼

1627~1705
雷

1629~1695
惠更斯

1733~1804
普利斯特里

1774年發現氧氣

1743~1794
拉瓦節

1774年發現質量守恆定律

1766~1844
道爾呑

1803年發表倍比定律

1736~1819
瓦特

1737~1798
賈法尼

1745~1827
伏打

1754~1826
普魯斯特

1773~1829
楊格

1707~1778
林奈

1735年出版《自然系統》

1728~1799
布拉克

1754年發現二氧化碳

1731~1810
卡文迪許

1766年發現氫氣

1632~1723
雷文霍克

1635~1703
虎克

1642~1727
牛頓

1656~1742
哈雷

1663~1729
紐科門

1692~1761
穆森布羅克

1700~1748
克拉斯特

1706~1790
富蘭克林

1776~1856
亞佛加厥

1811年提倡亞佛加厥假說

1779~1848
貝吉里斯

1819年主張化合物是由帶有正負電荷的兩種物質互相結合而成

1797~1875
萊爾

1830年出版《地質學原理》

1777~1851
厄斯特

1778~1850
給呂薩克

1781~1848
史蒂芬生

1791~1867
法拉第

1804~1865
冷次

1809~1882
達爾文

1831年搭上小獵犬號
1859年出版《物種起源》

1822~1884
孟德爾

1866年發表論文〈植物的雜種實驗〉

1822~1895
巴斯德

1865年開發低溫殺菌法

1814~1879
蓋斯勒

1875~1946
路易斯

1916年發表離子鍵概念

1916~2004
克里克

1953年與華生一同於英國科學期刊《自然》發表DNA結構論文

1879~1955
愛因斯坦

1885~1962
波耳

1889~1953
哈伯

1889~1970
馬士登

1891~1972
赫馬森

1829~1896
凱庫勒

1865年發現苯環結構

1834~1907
門得列夫

1869年發現元素週期表

1859~1927
阿瑞尼士

1884年發表電解質在水中會分離成正負離子的「電解質解離說」

1825~1898
巴耳末

1831~1879
馬克士威

1832~1919
克魯克斯

1838~1916
馬赫

1847~1931
愛迪生

1850~1930
戈爾德斯坦

1852~1908
貝克勒

1856~1940
湯姆森

1857~1894
赫茲

1858~1947
普朗克

1920~1958
蘿莎琳・富蘭克林

1952年成功拍出DNA的X射線繞射照片

1928~
華生

1962年與一同發現DNA雙螺旋結構的克里克獲得諾貝爾生理醫學獎

本書提及文獻

第 27 頁　維薩留斯，《人體的構造》（*On the Fabric of the Human Body in Seven Books*），1543.

第 42 頁　哈維，《關於動物心臟與血液運動的解剖研究》（*An Anatomical Study of the Motion of the Heart and of the Blood in Animals*），1628.

第 72 頁　林奈，《自然系統》（*A General System of Nature*），1735

第125頁　拉瓦節，《化學要論》（*Elements of Chemistry: In a New Systematic Order, Containing All the Modern Discoveries*），1789.

第141頁　道爾吞，《化學哲學的新體系》（*A New System of Chemical Philosophy*），1808.

第158頁　亞佛加厥，〈論述關於測定化合物中基本分子的相對質量，以及它們在化合物中的比例之方法〉（Essay on a Manner of Determining the Relative Masses of the Elementary Molecules of Bodies, and the Proportions in Which They Enter into These Compounds），1811.

第168頁　伯納特（Thomas Burnet），《地球神聖理論》（*The Sacred Theory of the Earth*），1681.

第174頁　赫頓（James Hutton），《地球理論》（*Theory of the Earth*），1795.

第178頁　萊爾，《地質學原理》（*Principles of Geology*），1830~1833.

第185頁　達爾文，《物種起源：論處在生存競爭中的物種之起源於自然選擇或者對偏好種族的保存》》（*On the Origin of Species by Means of Natural Selection or the Preservation of Favoured Races in the Struggle for Life*），1859.

第193頁　馬爾薩斯（Thomas Malthus），《人口論》（*An Essay on the Principle of Population*），1798.

第203頁　孟德爾，〈植物雜交實驗〉（Experiments in Plant Hybridization），1866

第241頁　　　凱庫勒，〈化合物的構造與碳的化學本性〉（The Constitution and the Metamers the Chemical Compounds and on the Chemical Nature of the Carbon），1858.

第310頁　　　華生與克里克，〈核酸的分子結構：去氧核糖核酸的結構〉（Molecular Structure of Nucleic Acids: A Structure for Deoxyribose Nucleic Acid），1953

第311頁　　　華生，《雙螺旋》（*The Double Helix:A Personal Account of the Discovery of the Structure of DNA*），Norton Critical Edition, 1980.

參考文獻

- 具仁善，《유기화학（有機化學）》綠文堂
- 金熙俊等，《과학으로 수학보기, 수학으로 과학보기（科學看數學、數學看科學）》宮理
- Forbes, Nancy et Mahon, Basil. *Faraday, Maxwell, and the Electromagnetic Field: How Two Men Revolutionized Physics.* Prometheus Books
- MacArdle, Meredith et Chalton, Nicola.*The Great Scientists in Bite-sized Chunks*. Michael OMara Books Ltd
- Lindley, David. *Boltzmanns Atom: The Great Debate That Launched A Revolution In Physics.* Free Press
- Kiernan, Denise et D'Agnese, Joseph. *Science 101: Chemistry.* Harper Perennial、2007
- Gonick, Larry. *The Cartoon Guide to Calculus.* William Morrow
- Munroe, Randall. *What If?: Serious Scientific Answers to Absurd Hypothetical Questions.* Houghton Mifflin Harcourt（中文版《如果這樣，會怎樣？：胡思亂想的搞怪趣問 正經認真的科學妙答》由天下文化出版）
- Epstein, Lewis Carroll. *Thinking Physics.* Insight Press
- Lederman, Leon Max. *The God Particle: If the Universe Is the Answer, What Is the Question?* Houghton Mifflin Harcourt
- Heer, Margreet De. *Science: A Discovery in Comics.* NBM Publishing
- Faraday, Michael. *The Chemical History of a Candle.*（中文版《法拉第的蠟燭科學》由台灣商務出版）
- Wheelis, Mark et Gonick, Larry. *The Cartoon Guide to Genetics.* Harper Perennial
- 朴晟萊等，《과학사（科學史）》傳播科學史
- Gower, Barry. *Scientific Method: A Historical and Philosophical Introduction.* Routledge
- Parker, Barry. *Science 101: Physics.* Harper Perennial
- Bova, Ben. *The Story of light.* Sourcebooks
- Maddox, Brenda. *Rosalind Franklin: The Dark Lady of DNA.* Harper Perennial

- 崎川範行，《新しい有機化学（新有機化學）》講談社

- 宋晟秀，《한권으로 보는 인물과학사（一本看完人物科學史）》bookshill

- 小牛頓編輯部編譯，《완전 도해 주기율표（完全圖解週期表）》小牛頓

- Huffman, Art et Gonick, Larry. *The Cartoon Guide to Physics.* Harper Perennial

- Whitehead, Alfred North. *Science and the Modern World.*

- Hart-Davis, Adam et Bader, Paul. *The Cosmos: A Beginner's Guide.* BBC Books

- Hart-Davis, Adam. *Science: The Definitive Visual Guide.* DK

- 李政任，《인류사를 바꾼 100대 과학사건（改變人類史的百大科學事件）》學民史

- 鄭在勝，《정재승의 과학 콘서트（鄭在勝的科學演唱會）》across

- Watson, James D. *The Double Helix: A Personal Account of the Discovery of the Structure of DNA.*

- Ochoa, George. *Science 101: Biology.* Harper Perennial

- Henshaw, John M. *An Equation for Every Occasion: Fifty-Two Formulas and Why They Matter.* JHU Press

- Gribbin, John. *Almost Everyone's Guide to Science: The Universe, Life and Everything.* Yale University Press

- Henry, John. *A Short History of Scientific Thought.* Red Globe Press

- Sagan, Carl. *Cosmos.* Random House

- Stager, Curt. *Your Atomic Self: The Invisible Elements That Connect You to Everything Else in the Universe.* Thomas Dunne Books

- Criddle, Crake et Gonick, Larry. *The Cartoon Guide to Chemistry.* Harper Collins

- Transnational College of Lex. *What is Quantum Mechanics? A Physics Adventure.* Language Research Foundation

- Heppner, Frank H. *Professor Farnsworth's Explanations in Biology.* McGraw-Hill College

- Moore, Peter. *Little Book of Big Ideas: Science.* Chicago Review Press

- 洪盛昱，《그림으로 보는 과학의 숨은 역사（圖畫看科學隱藏的歷史）》書世界

索引

改變人類命運的科學家們【之三】
從林奈到門得列夫，揭開看不見的物質真相

과학자들 3

作　　者	金載勳	
譯　　者	陳聖薇	
審　　訂	鄭志鵬	
封面設計	萬勝安	
內頁排版	藍天圖物宣字社	
校　　對	黃薇之	
行銷業務	陳雅雯、余一霞、汪佳穎、王綬晨、邱紹溢、郭其彬	
副總編輯	王辰元	
總 編 輯	趙啟麟	
發 行 人	蘇拾平	

出　　版　　啟動文化
　　　　　　台北市105松山區復興北路333號11樓之4
　　　　　　電話：（02）2718-2001　傳真：（02）2718-1258
　　　　　　Email：onbooks@andbooks.com.tw

發　　行　　大雁文化事業股份有限公司
　　　　　　台北市105松山區復興北路333號11樓之4
　　　　　　24小時傳真服務（02）2718-1258
　　　　　　Email：andbooks@andbooks.com.tw
　　　　　　劃撥帳號：19983379
　　　　　　戶名：大雁文化事業股份有限公司

初版1刷　2019年8月　　初版3刷　2020年12月
定　　價　480元
I S B N　978-986-493-108-8

歡迎光臨大雁出版基地官網www.andbooks.com.tw
訂閱電子報

國家圖書館出版品預行編目(CIP)資料

改變人類命運的科學家們【之三】：從林奈到門得列
夫，揭開看不見的物質真相 / 金載勳著；陳聖薇譯.
－初版.－ 臺北市：啟動文化出版：大雁文化發行, 2019.8
　面；　公分
ISBN 978-986-493-108-8 (平裝)
1.科學家　2.傳記　3.通俗作品
309.9　　　　　　　　　　　　　　　　108011264